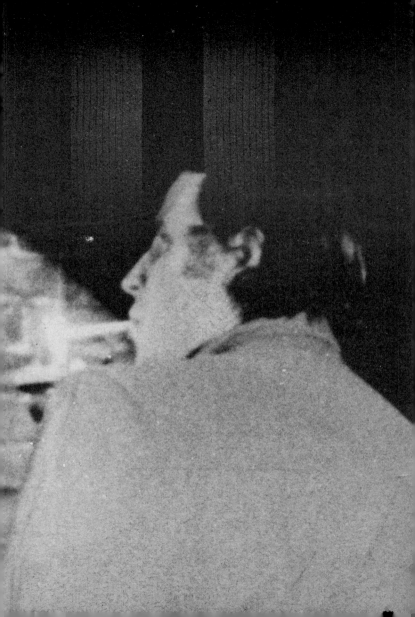

Pierre Saurel

ALLÔ... ICI LA MORT !

QUÉBEC/AMÉRIQUE

450 est, rue Sherbrooke, Suite 801, Montréal, Québec,
H2L 1J8
Tél. (514) 288-2371

DÉPÔT LÉGAL:
1er TRIMESTRE 1981
BIBLIOTHÈQUE NATIONALE DU QUÉBEC
ISBN 2-89037-046-1

Chapitre premier

APPELS ANONYMES

Évitant de faire du bruit, Lucien Valois ouvrit la porte de son logis et la referma doucement. Puis, comme d'habitude, il enleva ses souliers. Instinctivement, il jeta un coup d'œil à sa montre. « Une heure moins cinq. Cécile dort sûrement. »

Une fois son travail de garde de sécurité terminé, il s'était arrêté dans un restaurant pour déguster une bière et avaler un sandwich au jambon. Tous les soirs, c'était la même routine. Lucien et son compagnon de travail, Gaston Goulet, se dirigeaient automatiquement vers cette petite boîte. Ils causaient et se détendaient avant d'aller se mettre au lit.

Lucien jeta un coup d'œil à la porte de la chambre de Chantal, sa fille : la porte était fermée.

— C'est toi, Lucien ?

Il venait de reconnaître la voix de sa femme. Rapidement, il alla entrouvrir la porte de sa chambre.

— Tu ne dors pas ? fit-il à mi-voix.

C'était pourtant l'évidence, puisqu'elle avait parlé. Mais, Cécile ne répondit pas.

— Ferme tes yeux, je vais allumer la lumière du passage.

Il tourna le commutateur et le corridor s'éclaira. Dans la faible lumière qui régnait dans la chambre, Lucien vit sa femme, étendue sur le ventre, les épaules secouées par un léger soubresaut.

— Qu'est-ce que tu as ? demanda-t-il en se précipitant vers le lit.

— Il a appelé.

— Qui ?

— Le même, cette voix éteinte, cette voix qui me terrorise presque tous les soirs.

Lucien poussa un soupir d'exaspération.

— C'est ta faute aussi. Tu veux pas que je prévienne la police ; alors tant pis pour toi. On pourrait avertir le Bell : mais non, tu veux pas. Des fois, je m'demande si t'es pas masochiste.

Elle se retourna brusquement.

— C'est ça, vas-y, blâme-moi. Si un fou téléphone, c'est ma faute. Bientôt, tu vas m'accuser d'inventer ces appels.

Elle se leva rapidement de son lit. Cécile Valois paraissait beaucoup plus jeune que son mari. Elle n'avait eu qu'un enfant et avait su conserver sa taille de jeune fille.

— Calme-toi, Cécile.

Elle enfila rapidement un déshabillé et glissa ses pieds dans des pantoufles, tout en criant :

— C'est facile, pour toi, de me dire de me calmer. Si c'était toi qui recevais les appels, ce serait différent.

Lucien lui fit un signe de la main.

— Pas si fort, pense à Chantal, tu vas la réveiller.

Cécile sortit dans le corridor en se traînant les pieds. Elle alla directement à la chambre de sa fille et, brusquement, elle ouvrit la porte.

— Regarde ! Vas-y, regarde. Tu crois qu'elle dort, toi ?

La chambre était vide.

— J'savais pas qu'elle était sortie...

— C'est pas nouveau, toi, tu ignores tout, ou plutôt, tu veux rien savoir. Quand est-ce que tu ouvres sa porte pour regarder si elle est là ?

— Quand sa porte est fermée, j'ose pas la déranger.

— Tu veux dire que tu t'arranges pour pas t'en occuper, c'est plus facile.

Cécile mit de l'eau dans la bouilloire pour se préparer un café.

— Il y a quelques années, chaque fois que tu entrais, ta première visite était pour elle. Tu ouvrais la porte de chambre de Chantal et tu allais l'embrasser. Elle passait même avant ta femme.

— Écoute, fit-il avec un geste apaisant, Chantal a seize ans. C'est plus une enfant. Me vois-tu aller l'embrasser, le soir ? Ce serait ridicule.

— Oui, avec toi, tout est ridicule. Quand est-ce que tu m'embrasses, moi ? Des fois, en partant, quand tu y penses.

Lucien éclata :

— Et toi ? Quand je pars travailler, tu restes tes fesses collées sur ton fauteuil, tu ferais pas un pas pour me reconduire à la porte. Et puis cesse donc de boire du café ! Après ça, tu te plaindras que t'es nerveuse.

— Ça me calme.

Lentement, Lucien commença à enlever son uniforme de garde de sécurité. Petit à petit, le calme revenait.

— Qu'est-ce qu'il t'a dit, ce soir ?

— La même chose : des grossièretés. Il a dit

que je devrais me venger de toi ; que toi, tu te gênes pas pour sortir avec les filles de la compagnie. Si tu l'avais entendu...

Et cherchant à imiter cette voix qui la hantait, elle murmura :

— « Je te ferais passer des frissons par tout le corps. Je te fourrerais à mort. Tu jouirais comme jamais... » Et des phrases encore pires que celles-là. Avant de raccrocher, il a dit : « Si tu fais rien pour reprendre ton mari, il paiera. Le jour de la vengeance approche. »

Lucien était nu. Il alla dans la chambre chercher son pyjama.

— Je me demande pourquoi tu l'écoutes, dit-il en revenant. T'as rien qu'à raccrocher.

— Au début, c'est ce que je faisais. Mais il rappelait. J'ai laissé la ligne décrochée, mais il était patient. Au bout d'une demi-heure ou d'une heure, quand je raccrochais, c'était infaillible, il retéléphonait.

Cécile était maintenant beaucoup plus calme.

— Tu veux manger quelque chose, demanda-t-elle.

— Non, merci, il passe une heure. Et puis, je me suis arrêté au restaurant avec Gaston. À quelle heure qu'il a appelé ?

— Vers dix heures. Ce type-là, il te connaît bien. Ce type-là, il semble t'en vouloir. D'après lui, tu as une maîtresse. Il parle toujours de vengeance.

Lucien s'était assis à la table de cuisine, tenant compagnie à sa femme pendant qu'elle dégustait son café.

— Tu me connais, tu sais bien que je n'ai pas d'amie. Quand est-ce que j'aurais le temps de la rencontrer ? Je travaille un mois le soir et un mois la nuit. Ça ne laisse pas grand temps. Si tu crois que je la vois à minuit, t'as rien qu'à appeler Gaston. Il est clair que tu as affaire à un fou, un malade. Ça fait au moins dix fois que je te le dis. Si on appelait la police, on surveillerait notre ligne et on pourrait arrêter ce maniaque.

— La police ! Elle viendrait ici, elle ferait enquête. Tu oublies Chantal. Tu penses qu'ils se rendraient pas compte qu'elle prend de la drogue ? Nos troubles feraient rien que commencer.

— Prendre de la drogue, prendre de la drogue, bougonna Lucien. Tous les jeunes de son âge fument un joint par-ci, par-là. C'est pas un meurtre. La mari, c'est pas plus dommageable que la cigarette.

— Toi, tu t'aperçois pas des changements. Chantal est plus la même. Tu la vois une fois ou deux par semaine, le samedi, parfois le dimanche. Vous parlez jamais ensemble. Ce soir, quand je lui ai demandé à quelle heure elle rentrerait, elle a répondu bêtement : « Travailles-tu pour la police ? Si ça te dérange que je rentre tard, j'peux aller vivre ailleurs, tu sais. » Et comme je lui faisais des remontrances, en passant devant moi, elle s'est retournée pour dire « Arrête donc de gueuler, tu m'écœures ! » Et elle est partie. C'est une façon de répondre à sa mère ? Tu approuves ça, je suppose ?

— Tu sais bien que non. Je vais avoir une bonne conversation avec elle.

— Ça fait des semaines que tu dis ça, et tu fais rien. « Appelons la police », c'est ta seule solution. On dirait que tu voudrais un scandale. Tu connais les voisins ? Si les policiers viennent ici, les commères vont se faire aller la trappe. On nous montrera du doigt dans tout le quartier. Pourquoi pas faire comme je t'ai demandé ?

Lucien se leva.

— Tu as une idée, toi ? Tu sais combien nous coûterait un détective privé ? Les yeux de la tête.

— Je te demande pas de le payer ; j'ai de l'argent.

Lucien se leva :

— Parlons-en, de ton argent. T'es une vraie « Séraphine ». Tu as hérité de trente mille piastres quand ton père est mort. Qu'est-ce que tu en as fait ?

— Je l'ai placé et il me rapporte.

— C'est bien beau, il rapporte, mais bon Yeu, on est mariés ensemble ! Avec cet argent-là, on aurait pu acheter un bungalow, se mettre chez nous...

— À notre âge ce serait ridicule. On s'achète pas une maison quand on approche la cinquantaine. L'ami dont tu me parlais, il coûte cher ?

— Le Manchot ?

— Oui, celui qui a rien qu'un bras. Il doit quand même pas charger les yeux de la tête. Toi-même, tu disais qu'il était pas à plaindre, qu'il avait reçu un gros montant à cause de son accident, qu'il avait une bonne pension...

Mais Lucien se pencha vers son épouse :

— Je te l'ai dit. Dumont, c'est un spécialiste des affaires de meurtre. Il a toujours fait partie des escouades des homicides. Si tu penses que des appels anonymes, ça peut l'intéresser...

— Et quand mon type parle de l'heure de la vengeance, c'est pas une histoire de meurtre, ça ? Tu attends d'être rendu six pieds sous terre pour demander de l'aide ? Tu connais bien le Manchot, tu as travaillé avec lui.

— Pas longtemps. J'ai été dans la police seulement durant quatre ans.

— Et si t'avais pas fait le fou, tu y serais encore et, comme ton Manchot, tu aurais droit à une bonne pension et tu passerais pas ton temps à te plaindre.

— Reviens pas sur le passé, veux-tu ? On peut rien y changer.

Mais Valois se souvenait. Comme quelques-uns de ses camarades, il avait accepté des pots-de-vin de la part de souteneurs, de prostituées, de propriétaires de maisons de paris. Puis, un jour, il y avait eu une enquête générale sur le service et Valois avait été congédié, comme plusieurs de ses camarades.

— J'sais même pas si Dumont va se souvenir de moi.

— Tu peux quand même essayer de le voir. Je te le dis, je paierai son salaire, moi. Tu me reproches de toujours garder mon argent. Eh bien, là, je suis prête à le sortir. Si ton Manchot découvre quelque chose, à propos de Chantal, il causera sûrement pas de scandale ; il va plutôt nous aider.

Lucien jeta un coup d'œil sur sa montre.

— Il passe une heure et demie. Si on se couchait ?... Je me demande ce que fait Chantal.

— C'est ça, détourne la conversation !

— Mais non, mais non, j'irai voir Dumont.

— Quand ? Demain ?

— Si j'ai le temps.

— Tu as le temps. Tu sais jamais quoi faire de tes dix doigts au début de l'après-midi.

— Bon, j'irai... j'irai.

Le couple alla se mettre au lit.

— Essaie d'oublier ça, Cécile.

— C'est facile à dire, pour toi. Bonsoir.

Elle l'embrassa du bout des lèvres. Lucien voulut l'attirer dans ses bras.

— Oh non ! Pas ce soir. Je suis trop nerveuse.

— J'suis trop nerveuse, j'suis fatiguée, ça me tente pas ! bougonna Lucien. On fait l'amour une fois par mois... et encore. T'es chanceuse de pas avoir affaire à un autre gars. Ça ferait longtemps que je t'aurais trompée. Après tout, j'ai droit à une vie normale, moi. Je t'ai pas mariée rien que pour t'entendre te plaindre...

— As-tu fini ? Je veux dormir, moi.

— C'est ça... dors.

Lucien arrangea son oreiller, le rejeta assez brusquement sur le lit et se retourna le dos à sa femme.

— Maudit torrieu que j'suis tanné !

— Tu fais donc pitié, murmura Cécile. Un homme qui a pas de contrôle... Ta fille a de qui tenir !

Lucien ne répondit pas. Il n'osait pas l'avouer à sa femme, mais il était inquiet. Ce n'étaient pas les appels anonymes qu'elle recevait qui l'inquiétaient, c'était beaucoup plus la conduite de Chantal.

— Si Dumont accepte, je lui demanderai

aussi de s'occuper de la petite. Elle, elle a encore toute une vie devant elle.

Et lorsqu'il réussit à fermer l'œil, vers trois heures du matin, Chantal n'était pas encore rentrée.

Chapitre II

PRIS À LA GORGE

La jolie Nicole Poulin était de retour à son travail de secrétaire. Elle avait terminé sa participation, à titre de comédienne, dans un long métrage canadien.[1]

Robert Dumont, le détective Manchot, en était heureux. Le travail affluait maintenant à son agence, à un point tel qu'il avait dû retenir les services de Louis Beaulieu, un policier à sa retraite.

---

1. Lire le Manchot n° 3, *Mademoiselle Pur-sang*.

— Vous m'avez sonnée? demanda Nicole en entrant dans le bureau du Manchot.

— Oui, assieds-toi, Nicole.

— Vous avez quelque chose à me dicter? Vous savez, ça va bien, mes cours de sténographie. Maintenant, je peux prendre des lettres.

Mais le détective paraissait soucieux.

— Non, il ne s'agit pas de ça. Michel n'est pas encore arrivé[2]?

— Non, il a téléphoné tantôt. Il va venir seulement vers midi. Il doit rencontrer Gibeau, le type qui se fait voler régulièrement dans son magasin. Vous lui avez confié cette affaire.

— Je sais, mais j'ignorais qu'il devait le voir ce matin.

Après une assez longue hésitation, le Manchot demanda:

— Il te parle souvent? Je trouve que Michel a quelque chose de changé. Il n'est plus le même.

— Ça date du jour de sa bataille. Vous savez, le matin qu'il est rentré avec un œil noir, des ecchymoses plein le visage...

— Exactement.

— Tu as cru à son histoire, toi?

---

2. Michel Beaulac, ex-policier, remercié de ses services à la suite d'un incident malheureux, alors qu'il avait abattu froidement un voleur pris en flagrant délit. (Lire Le Manchot n° 1, *La Mort frappe deux fois*.) Dumont avait immédiatement pris Michel comme collaborateur.

— Je sais pas, murmura Nicole. Il a dit avoir été attaqué par deux types qui voulaient le voler. Pourtant, il a refusé de porter plainte à la police. Il a refusé qu'on enquête sur cette affaire.

— Il a quand même dit qu'il avait réussi à mettre les deux voleurs en fuite. De toute façon, il n'est plus le même depuis ce jour-là. Alors, j'ai pensé qu'il avait pu se confier à toi.

— Je ne sors plus du tout avec Michel, avoua Nicole. Je l'ai jamais aimé, je le sais bien, aujourd'hui. Je sais pas si...

— Pourquoi hésites-tu ?

— Oh, laissez faire !

— Mais non, si tu as quelque chose à me confier, Nicole, vas-y. Je suis là pour t'écouter, fit le Manchot en se levant et en s'approchant de la chaise de la jeune fille.

— Moi aussi, j'ai changé, dit-elle. Autrefois, je m'intéressais à tous les garçons. On disait que j'étais une fille facile. Je suis devenue... disons... plus sérieuse. Je savais pas ce qu'était le véritable amour.

Le Manchot était surpris.

— Dis-moi pas que tu as rencontré le prince charmant ?

Elle voulut détourner la conversation.

— Nous parlions de Michel...

Le Manchot se pencha, prit Nicole par les épaules et l'obligea à se lever.

— Non, Nicole, il ne faut pas...

Brusquement, elle se jeta contre sa poitrine, lui encerclant le cou de ses deux bras.

— Pourquoi ? Pourquoi que vous me repoussez toujours, Robert ? J'en ai assez d'être raisonnable, moi. Ça fait plus de deux mois que nous nous connaissons. Pour vous, j'ai changé ma façon de vivre... Robert, je t'aime !

— Nicole, tu es folle, j'ai presque deux fois ton âge et...

Pour toute réponse, elle leva la tête. Leurs yeux se croisèrent et, une seconde plus tard, leurs lèvres se joignirent. Oh, ils s'étaient déjà embrassés, mais jamais de cette façon-là, jamais avec autant de passion.

Robert Dumont ne voulait pas se l'avouer, mais c'était beaucoup plus que de l'amitié qu'il éprouvait pour sa secrétaire. Toutefois, il avait refusé de se laisser aller à ce sentiment. Au début, il y avait eu Michel. Le Manchot croyait les deux jeunes gens amoureux l'un de l'autre. Puis, plus tard, quand il s'était bien rendu compte qu'ils n'étaient guère plus que des amis, il avait trouvé une autre excuse. « Nicole a fui ses parents. Elle se sent seule. Elle doit me considérer comme son père. »

Mais à présent, après cet aveu de Nicole, il n'y avait plus d'obstacle qui se dressait entre eux.

— J'ai toujours juré que jamais je ne

tomberais amoureux d'une femme. J'ai trop peur qu'on me prenne en pitié, avec mon infirmité.

Nicole, heureuse, des larmes de joie au bord de ses yeux, cria presque :

— Laisse-moi tranquille avec ton infirmité. Souvent, ta main gauche t'est plus utile que ta main droite. Crains rien, jamais je n'aurai pitié de toi.

L'âge n'était pas une excuse ; en fait, il s'en était servi comme échappatoire.

— J'ai dit que jamais je ne me marierais, ajouta Dumont.

— Tant mieux ! Moi non plus, je suis pas folle du mariage. Légaliser une union devant les hommes, devant Dieu, je suis pour ça. Mais une telle union, c'est pour la vie ; et il faut apprendre à se connaître... beaucoup mieux qu'une secrétaire connaît son patron.

La porte d'entrée du bureau venait de s'ouvrir. Le couple se sépara brusquement.

— Je vais voir ce que c'est.

— Si c'est Michel, je veux le voir. S'il faut que je lui tire les vers du nez, je le ferai. Je veux qu'il me dise ce qui se passe.

Avant de sortir, Nicole se retourna, un large sourire sur les lèvres :

— Patron, allez-vous apprendre à votre employé que nous allons bientôt nous mettre en ménage ?

Et elle sortit, avec un rire plein de fraîcheur.

— Imbécile que j'étais. Elle a bien fait de m'ouvrir les yeux.

Quelques secondes plus tard, la porte du bureau s'ouvrait de nouveau et le grand Michel faisait son apparition.

— Vous voulez me voir, boss?

— Entre et ferme la porte, Michel.

En se traînant les pieds, Michel alla se laisser choir dans le fauteuil, étira ses longues jambes et étouffa un bâillement.

— Tu n'avais pas rendez-vous avec Gibeau?

— Il a remis notre entrevue; je le verrai cet après-midi. Vous avez quelque chose de spécial?

Le Manchot retourna derrière son bureau.

— Pas moi... toi, tu en as.

— J'comprends pas ce que vous voulez dire.

— Michel, tu n'as pas confiance en moi? Pourquoi nous jouer la comédie à Nicole et à moi? Serais-tu jaloux, par hasard?

— Moi, jaloux? Jamais de la vie. Vous semblez vouloir chercher la petite bête noire et je me demande bien pourquoi.

Dumont demanda lentement:

— Que s'est-il passé, la veille de ce fameux jour où tu es rentré avec le visage presque en lambeaux. Et ne viens pas me raconter ton histoire de voyous qui t'ont accosté pour te voler. On n'apprend pas à un policier d'expérience comment mentir; et je sais ce que je dis.

Michel se leva et se mit à se promener lentement, la tête basse, sans dire un mot. Enfin, il s'arrêta devant le bureau de son employeur.

— Je devrais vous donner tout de suite ma démission, ce serait plus simple.

— Et je la refuserais. Prends ton temps, je t'écoute... et si je peux t'aider...

— Non, vous pouvez pas.

Et ce fut par saccades, avec de longs moments de silence que le Manchot prenait garde de ne pas troubler, que Michel raconta son histoire.

— Ça commencé à la suite de mon accident de voiture. J'étais en boisson. Plusieurs fois, vous m'aviez parlé de la maladie de l'alcoolisme. Je voulais pas l'admettre mais, à l'hôpital, j'ai compris qu'il fallait que je change et j'ai décidé de plus toucher à un seul verre. J'ai même assisté à des assemblées des Alcooliques anonymes. Au début, ça allait bien. J'avais plus soif. Mais j'ai pas suivi le mode de vie qu'on nous enseigne. Quand on arrête de boire, il faut remplacer ça par autre chose. J'avais une autre maladie latente. Je le savais pas... mais je m'en doutais. Les cartes, les courses, les jeux de hasard, ça m'a toujours passionné. Alors, j'ai remplacé l'alcool par le jeu. Au début, j'y allais lentement. Mais j'ai voulu jouer plus fort. Mes affaires d'argent, de fond de pension avec la ville étaient pas réglées. Alors, j'ai emprunté ; et, pour me rattraper, j'ai emprunté encore.

Pour la première fois, le Manchot l'interrompit.

— Dis-moi pas que tu t'es mis dans les griffes des shylocks ?

— Oui. Ici, l'agence en était à ses débuts. Vous vous souvenez, Nicole et moi, on vous demandait aucun salaire. Alors, je pouvais pas rembourser. On m'a fait des menaces. Puis, un soir, alors que je sortais du bureau, deux hommes m'attendaient. Ils m'ont fait monter dans une voiture. J'y ai goûté... À ce moment-là, j'étais encore blessé à la jambe. On m'a dit que la prochaine fois, on me la casserait de nouveau... Voilà, vous savez tout.

Et il se laissa tomber dans son fauteuil. Ce fut au tour du Manchot de se lever.

— Fais-moi pas croire que tu as pu les rembourser ?

— Non. Je croyais retirer beaucoup plus de la ville, mais c'était pas assez. Alors, Bartino m'a fait demander et il m'a offert un arrangement.

— Je devine. Ils veulent que tu travailles pour eux ? C'est pour cette raison que tu veux démissionner ?

— Non, non... c'est-à-dire, pas exactement. Bartino vous connaît... du moins, de nom. Il sait que vous avez beaucoup de contacts dans le milieu de la police et que, par le fait même, moi aussi, je peux en avoir. Alors, il se peut que Bartino ait besoin de certaines informations secrètes que possèdent les policiers.

Le Manchot avait tout compris.

— Tu deviens agent double. Tu travailles pour moi mais, en réalité, tu sers la pègre.

— À date, on m'a rien demandé... et on me laisse tranquille. Ma dette s'effacera, à mesure que je rendrai des services.

— Pauvre Michel ! Mais ne crains rien, je ne te laisserai pas tomber.

Le Manchot avait réfléchi rapidement.

— Au contraire, tu vas jouer leur jeu. Maintenant que tu m'as mis au courant, ça pourrait être très utile un jour. Il est bon d'avoir des contacts dans le milieu de la pègre.

— Vous voulez dire que...

— À compter d'aujourd'hui tu deviens un véritable agent double... un jeu très dangereux. Tu connais la pègre ? Elle ne pardonne pas une erreur.

Et appuyant sa prothèse sur l'épaule de Michel, tout en le serrant fortement, il ajouta :

— Moi non plus ! Il faudra tout me dire, tout. Et si jamais j'ai besoin de renseignements utiles sur le milieu, tu seras l'homme qui pourra nous les obtenir.

Et brusquement, le détective changea de sujet.

— C'est bien vrai que tu ne t'intéresses plus à Nicole?

— C'est elle qui vous a dit ça? Elle m'intéresse toujours. C'est une belle fille, bien tournée, très chaude en amour... une femme comme ça, c'est toujours intéressant.

Puis, après un instant, il ajouta:

— Si vous voulez savoir la vérité, ça fait au moins un mois que je suis pas sorti avec elle. Aujourd'hui, je la considère beaucoup plus comme... comme si elle était ma petite sœur.

Une sonnerie se fit entendre.

— Oui, Nicole? demanda le Manchot après avoir appuyé sur le bouton de l'intercom.

— Il y a un monsieur Valois qui désire vous voir. Il dit que c'est très important.

— Valois?

— Lucien Valois. Il a déjà fait partie du corps policier, en même temps que vous.

Dumont ne se souvenait pas.

— Bon, tu le feras entrer sitôt que Michel sera sorti.

— Bien, monsieur.

Michel se dirigea vers la sortie.

— Boss... pardon, je veux dire, patron...

— J'aime mieux ça.

— Ça fait du bien. J'avais comme un étau qui me serrait la gorge. Mais là, je respire mieux. J'aurais dû vous parler avant aujourd'hui. À part ça, ce rôle d'espion que je vais jouer, ça me plaît.

— Oui, peut-être ; mais il comportera de nombreux dangers.

— Ça me fait pas peur ! Si vous, dans la lutte, vous y avez laissé un bras, moi, je suis prêt à y laisser la tête... La tête... à bien y penser, ça ne serait pas grand-chose.

Et Michel sortit du bureau. Pour Robert Dumont, tout semblait vouloir s'arranger. L'agence avait beaucoup de travail, Michel retrouvait sa bonne humeur et lui, le Manchot, il entrevoyait une vie de bonheur avec une jeune fille qui l'aimait sincèrement.

En retournant s'asseoir à son bureau afin d'attendre dignement son visiteur, il se surprit à fredonner un petit air joyeux.

— Si je me mets à chanter, maintenant, c'est la fin du monde. Avec la voix que je possède, si on m'entend, c'est la faillite en moins d'un mois.

Et il sonna sa secrétaire.

— Fais entrer le visiteur !

*
*   *

Quelques secondes plus tard, Lucien Valois tendait la main au détective.

— On a travaillé ensemble pendant une couple d'années, monsieur Dumont. Moi, j'étais jeune et, dans le temps, c'était courant d'accepter l'argent de la pègre. Il y a eu l'enquête et j'ai fait partie de la poussière lors du grand nettoyage.

— Oui, oui, maintenant, votre nom me dit quelque chose. Qu'est-ce que je puis faire pour vous, Valois ?

— Ça fait quelques jours que ma femme me fatigue pour que je vienne vous voir. Moi, je voulais pas vous déranger pour des appels anonymes... c'est pas si grave que ça. Je croyais que le type qui appelait était un fou. Il téléphonait à ma femme presque tous les soirs. Il lui tenait des propos orduriers, puis il terminait toujours en disant que j'avais une maîtresse — ce qui est faux — et que le jour de la vengeance approchait. Une fois, il a même dit, carrément, qu'il me supprimerait. J'ai jamais pris ces menaces-là au sérieux... mais la nuit dernière...

— Que s'est-il passé exactement ?

— Gaston, le garde de sécurité qui travaille avec moi, se sentait malade et il est parti de l'usine à onze heures. Vers minuit, les remplaçants sont arrivés. D'habitude, je sors toujours en même temps que Gaston, mais, cette fois-là, j'étais seul. Je me suis dirigé vers ma voiture. Je longeais les hangars. Soudain, j'ai entendu un bruit dans la cour et j'ai tourné la tête... heureusement !

— Comment ça ? s'enquit le Manchot, soudain intéressé.

— Quelque chose a sifflé à mes oreilles et une balle s'est enfoncée dans la porte du hangar. Si j'avais pas tourné la tête, je l'aurais probablement reçue en plein front. Les armes, je connais un peu ça. Celui qui a tiré avait un silencieux. C'est bien moi qu'il visait. Je me suis jeté à plat ventre. Alors j'ai entendu quelqu'un qui courait, au loin. Et comme je me relevais, une voiture, stationnée dans la rue, partait en trombe. J'ai tenté de la rejoindre, mais lorsque j'ai atteint le coin de la rue, elle avait disparu.

Et Valois ajouta :

— Je croyais que ce type-là blaguait, au téléphone... mais je me suis rendu compte qu'il était très sérieux. On veut m'assassiner. Qui ? Pourquoi ? J'en sais absolument rien.

Chapitre III

QUELLE FAMILLE !

Le Manchot avait laissé parler Valois. Son histoire était un peu enchevêtrée.

— Maintenant, nous allons tenter de voir clair dans tout ça. Ç'a commencé par des appels anonymes, c'est bien ça ?

— Oui. Un homme s'est mis à téléphoner à ma femme. Il lui disait que j'avais une maîtresse et qu'elle devrait se venger. Au début, Cécile s'est moquée de lui. Mais l'homme continuait à rappeler. Il lui tenait des propos incroyables. Puis, comme elle paraissait pas vouloir se venger de moi, il a dit que c'était lui qui s'en chargerait. Je vous le dis : quand ma femme m'a conté ça, j'ai pensé tout de suite qu'elle avait affaire à un maniaque. Je voulais prévenir la police. On aurait eu tôt fait de retracer l'appel.

— Vous avez entièrement raison. Pourquoi ne l'avez-vous pas fait ?

— Cécile avait peur du scandale... elle craignait que la police découvre certaines choses , à propos de Chantal.

— Qui est Chantal ?

— Notre fille... notre seule enfant. Mais sa conduite est pas... ce qu'il y a de mieux. Elle prend de la drogue. Elle passe des nuits hors de la maison. Elle est grossière avec sa mère, elle nous écoute pas. Disons qu'elle est sur une pente dangereuse. J'ai tenté de discuter avec elle ; c'est inutile ; elle veut rien savoir. J'ai peur, Dumont, j'ai peur que ma fille échoue dans une maison de redressement, si la police se mêle de la chose.

— Peut-être que ce serait la meilleure solution pour elle.

— Il est possible d'éviter ça. Du moins, on l'espère, ma femme et moi.

Dumont fit tourner la conversation :

— Qu'êtes-vous devenu à la suite de votre départ de la police ?

— J'ai travaillé ici et là, je changeais d'emploi souvent. Puis, j'ai rencontré Cécile.

On s'est marié. J'ai compris qu'il fallait que je me branche définitivement. J'ai eu la chance de décrocher cet emploi comme garde de sécurité. Je travaille au même endroit depuis dix-sept ans.

— Votre épouse travaille ?

— Non, elle a jamais travaillé. Mais elle se tient occupée, elle s'intéresse à des œuvres, fait partie de certaines associations. Le jour, moi, je dors souvent ; donc, elle peut sortir facilement. Ça la laisse assez libre. Autrefois, elle ne sortait jamais ; mais depuis qu'elle a hérité de son père...

— Un gros montant ?

— Trente mille. Mais ça s'appelle touchez-y pas. Parfois, elle retire ses intérêts pour aider ses fameuses œuvres, c'est tout. Quand on a parlé de vous, il y a quelques jours, elle était prête à payer pour vos services. Mais elle peut changer d'idée, elle tient à son argent comme à la prunelle de ses yeux. Elle pense rien qu'à ça. Si je vous disais que je paie une grosse partie de mon salaire en primes pour des assurances-vie. C'était son idée. Elle veut hériter quand je mourrai. On a chacun une assurance de cent mille dollars, et avec double indemnité. Ça coûte des bidous, ça. Moi, je serais pas venu vous déranger pour une simple histoire d'appels anonymes ; mais maintenant, c'est une tentative de meurtre. C'est complètement différent.

Le Manchot consulta son agenda.

— Même si nous discutons pendant des heures, Valois, ça n'avancera pas les choses. Il faudrait que je rencontre la famille.

— Alors, vous acceptez?

— Puisque votre femme est prête à payer, je discuterai d'honoraires avec elle. Mais il ne faut pas me prendre pour un imbécile, vous savez.

Valois demanda, surpris:

— Pourquoi dites-vous ça?

— Je me comprends. Je déteste servir de couverture.

Il refusa d'en dire plus long.

— Quand pourrais-je vous voir, avec votre épouse?

— Demain, après le dîner. Je finis de travailler à minuit. Je me lève ordinairement vers dix heures du matin, je prends ma douche, je mange. Vers une heure ou deux, ce serait parfait.

— Bon, c'est entendu, je serai chez vous demain après-midi. Donnez-moi votre adresse.

Lorsque Valois fut parti, le Manchot prépara un appareil qu'il avait l'intention de brancher sur le téléphone des Valois. Ainsi, les conversations seraient toutes enregistrées.

— Michel est-il encore là? demanda-t-il après avoir sonné Nicole.

— Oui, vous voulez le voir?

— S'il te plaît.

Quelques instants plus tard, le Manchot donnait ses ordres à son assistant.

— Je sais que, présentement, tu t'occupes de l'affaire Gibeau. Mais tu es libre, le soir?

— Oui.

— Eh bien, je vais te confier une mission. Tu as vu le type qui vient de sortir?

— Non, j'étais à faire quelques exercices dans notre gymnase.

— Tant mieux, ce sera plus facile.

Il lui parla de Valois.

— Je veux que tu le surveilles discrètement, surtout à la sortie de son travail et, si nécessaire, durant l'après-midi s'il sort. Je veux savoir s'il a une petite amie. Vois-tu, les histoires de coup de feu, de type qui échappe miraculeusement à la mort, d'appels anonymes qu'on ne peut pas vérifier... je n'y crois pas trop. Une femme a de l'argent, elle vit presque toujours seule, son mari travaille tous les soirs ou toutes les nuits, cette femme a des difficultés avec sa fille, elle est devenue nerveuse, irritable, les appels ne font qu'empirer la situation.

Maintenant, Valois a été victime d'une tentative de meurtre. Selon toi, que peut-il se passer ?

Michel, après avoir réfléchi, répondit :

— Il peut y avoir seulement deux solutions, selon moi. Les Valois sont victimes d'un maniaque, un fou qui s'acharne sur eux, on sait pas trop pour quelle raison ; et ce malade-là peut aller jusqu'au meurtre. La deuxième solution, c'est qu'il y a rien de vrai dans tout ça ; mais avant longtemps, madame Valois va craquer ! Elle est déjà nerveuse. Elle pourra pas tenir le coup.

— Très bonnes déductions, fit le Manchot. Mais si on en revient à ta première solution, rien ne nous dit que nous avons affaire à un malade. Des gens inexpérimentés peuvent agir exactement de la même façon.

Dumont refusa d'expliciter son idée.

— Fais-moi un rapport sur Valois. Si l'affaire Gibeau devient plus importante, nous devrons engager un autre homme. Je connais des policiers retraités qui n'attendent que mon appel.

Le lendemain, Robert Dumont se présentait au logis des Valois. Ce fut Cécile qui vint lui ouvrir. Immédiatement, son regard se dirigea vers la main gauche du détective.

— Je suis madame Valois, dit-elle.

Dumont était réellement surpris. Il s'était

attendu à voir une femme plus âgée, une femme à l'air découragé, une femme abattue, mais il n'en était rien. Cécile avait passé une jolie robe, légèrement décolletée, elle était fort bien coiffée et on lui aurait donné une trentaine d'années, pas beaucoup plus. « Il est vrai que Valois n'est que dans la quarantaine. C'est le fait de n'avoir pratiquement plus de cheveux qui le vieillit. »

Elle fit passer le détective au salon et Valois vint se joindre à eux. Déjà, il avait revêtu son uniforme de garde de sécurité.

À la demande du Manchot, Cécile Valois parla des nombreux appels qu'elle avait reçus.

— Au début, je trouvais ça ridicule, puis ça m'amusait. Vous allez peut-être me croire folle, mais parfois, je souhaitais qu'il appelle. Probablement qu'il s'est rendu compte que je ne le prenais pas au sérieux. C'est alors qu'il a fait des menaces.

— Mais parlait-il toujours de s'attaquer à votre mari ?

— Indirectement. Il mentionne toujours le mot vengeance.

— J'installerai un magnétophone sur votre téléphone. Ça enregistrera toutes les conversations. Maintenant, je vais vous demander une chose. J'accepte d'enquêter sur cette affaire, mais à une seule et unique condition : je veux la vérité, toute la vérité.

Valois aussitôt, répondit.

— On a rien à cacher.

— Parfait. Dans ce cas, je commence par vous, Valois. Avez-vous, oui ou non, une maîtresse ?

— Jamais de la vie, demandez à Cécile...

— C'est à vous que je le demande. Vous me dites non, mais le type qui appelle semble persuadé du contraire. Vous, madame Valois, croyez-vous que votre mari vous trompe ?

Elle hésita, pas longtemps, l'espace d'une ou deux secondes.

— Non.

— Mais vous avez des doutes. Soyez franche.

— Eh bien, ces appels successifs m'ont troublée...

Valois bondit :

— Quoi ?

— Calmez-vous, Valois, nous sommes ici pour mettre cartes sur table. Vous auriez d'ailleurs dû le faire avant aujourd'hui.

— Mettez-vous à ma place, continua Cécile ; j'ai réfléchi. Souvent, mon mari rentre pas avant une heure et demie du matin. Durant l'après-midi, il est souvent libre. Ça lui donne tout le temps voulu pour rencontrer quelqu'un, sans que je m'en doute.

— Dis donc la vérité ! s'exclama Valois. Tu t'es dit que ton mari était peut-être fatigué d'avoir un bloc de glace à côté de lui. Cette femme-là, monsieur Dumont, jamais elle s'approche de moi, jamais elle m'embrassera ou me caressera d'elle-même... et c'est comme ça depuis des années.

— T'as menti ! hurla Cécile.

Confuse, elle mit sa main sur sa bouche. Cette phrase lui avait sûrement échappé, mais ça permettait au Manchot d'entrevoir sa véritable personnalité.

— Elle sait très bien que je dis vrai, reprit Valois. Connaissez-vous beaucoup d'hommes, vous, qui seraient restés fidèles ? Non, hein ? Eh bien, vous avez un de ces maudits caves-là devant vous !

— Vous voyez comment il est, vous voyez son raisonnement. Un homme qui reste fidèle à sa femme, c'est un cave... ou un héros. Et si je te disais à toi, Lucien Valois, que t'as jamais su faire l'amour comme du monde. Si je te disais que t'as jamais été capable de me satisfaire complètement ?

— Une autre invention, siffla Valois avec une violence contenue.

— Parles-en au gynécologue que j'ai consulté. Tous les torts sont pas du même côté. J'ai rarement vu une médaille à une seule face.

Blême de rage, Valois alla se camper devant sa femme.

— Comment peux-tu savoir que je ne sais pas faire l'amour ? Je suppose que t'as essayé avec un autre ?

— Ça aurait pû être une solution... Mais imagine-toi donc que, lorsqu'on est entre femmes, ça nous arrive de parler sexe et je me rends bien compte que j'ai pas, comme mari, le roi des baiseurs.

Le Manchot les laissait s'engueuler. C'est quand on est en colère qu'on se dit le plus facilement ses quatre vérités. Mais, comme le silence était revenu, Dumont prit quelques notes dans son carnet, puis déclara :

— Donc, on ne peut pas dire que votre ménage va parfaitement. L'amour physique semble être absent... ou, du moins, vous l'avez mis en veilleuse.

Soudain, on entendit une porte s'ouvrir avec violence.

— Hé ! les malades, vous avez pas fini de gueuler ? Vous vous croyez en plein bois ? Y a même plus moyen de se reposer ici-dedans ! Moi, c'est simple, j'vas sacrer mon camp, puis ça sera pas long.

Le Manchot se retourna. Une jeune fille blonde venait de faire son apparition dans une des portes donnant sur le salon. Elle était grande, fort bien tournée, avec de longs cheveux qui pendaient librement sur ses épaules. On lui aurait donné beaucoup plus que ses seize ans.

— Chantal, va t'habiller. Tu vois bien que nous avons un visiteur.

La jeune fille portait un baby-doll translu-
cide qui cachait à peine sa nudité.

— Ç'a pas l'air de le déranger. Si ses yeux
pouvaient me dévorer, il m'aurait déjà à moitié
mangée. Regardez si c'est pas vrai ! Il en a les
doigts tout croches.

Et elle montrait la main gauche du Manchot.

— Chantal, c'est assez. Écoute ta mère ! cria
Valois.

— Toi, le bonhomme, monte pas sur tes
grands chevaux. Avec ton faux costume de
police, tu m'énerves pas.

— C'est Robert Dumont, le policier Manchot.

— Tiens, dites-moi pas que vous avez appelé
la police pour faire surveiller votre petite fille ?

Et elle alla se planter devant le Manchot.

— Un policier infirme... j'aurai tout vu !

Elle ondula légèrement des hanches.

— Un manchot, est-ce que ça fait bien
l'amour ? On dit que lorsqu'on perd un
membre, la force se jette dans un autre.
J'espère que ta force s'est jetée là où je pense.

Et elle éclata de rire.

— Surtout, moman, dérange-toi pas, fais-
moi pas à déjeuner, je sais me débrouiller. Vous
avez devant vous, mon cher monsieur, la
femme idéale... des années cinquante. La
femme qui entretient sa petite maison, s'occupe
des bonnes œuvres, se laisse mener par son

mari, refuse de travailler à l'extérieur, la femme pognée avec ses vieux principes. Ça, c'est ma mère. Maudit que j'aimerais ça changer de « char » de temps en temps. Vous, quand votre voiture devient une vieille minoune, vous la changez. Eh bien, moi, j'suis prise avec ces deux-là...

Et en se dirigeant vers la cuisine, elle ajouta :

— Heureusement, la vieille a hérité de son père. Quand elle va mourir, j'vas peut-être toucher au fameux trente mille... Vous saurez, mes chers parents, qu'aujourd'hui, avec trente mille, on va pas chier loin.

Valois, brusquement, alla fermer la porte de la cuisine.

— Excusez-la, elle sait pas ce qu'elle dit... expliqua-t-il d'un air gêné.

— Avoue donc qu'elle nous parle toujours comme ça. Si seulement tu m'avais aidée à l'élever quand elle était plus jeune. Non, j'avais tout sur les bras.

Le Manchot se leva.

— Nous allons installer l'enregistreuse.

Et, pendant qu'il travaillait, il demanda :

— Votre fille ne travaille pas ?

— Elle est aux études, mais elle manque la moitié de ses cours, fit Cécile. Ce matin, je l'ai réveillée, et quand elle m'a aperçue, elle m'a lancé sa pantoufle par la tête. Mademoiselle voulait dormir. Elle est rentrée aux petites heures ce matin.

— J'ai trouvé de la mari dans sa chambre, des cigarettes. Possible qu'elle prenne également des pilules. En tout cas, il y a des fois qu'elle est passablement partie, ajouta Valois.

— Elle a un ami ?

Le garde de sécurité haussa les épaules.

— On le sait pas. Elle se tient en gang. Vous connaissez les jeunes d'aujourd'hui ? Ça parle de politique, ça se révolte contre tout, surtout l'autorité des parents, ça voudrait diriger le monde...

— Et ils font l'amour avec n'importe qui.

Cécile baissa les yeux.

— Je crois pas que Chantal en soit rendue là. On lui a quand même inculqué des bons principes. Elle a passé quatre ans chez les religieuses et...

— On lui a enseigné la crainte du péché, on lui a montré à détester les supposés méchants, on lui a fait peur avec un Dieu vengeur. La fameuse éducation négative que les jeunes ont reçue les a fait se révolter. Ils ont soif d'amour, un amour qu'on aurait dû leur montrer au lieu de leur enseigner la haine.

Le Manchot se releva.

— Bon, c'est installé. Si votre type rappelle, laissez-le parler, je veux entendre sa voix.

Valois suggéra :

— Pourquoi pas demander l'aide de la police ? On pourrait localiser l'appel ?

— Inutile. Il doit téléphoner d'une boîte publique.

Puis il fallut discuter des honoraires. Ce ne fut qu'après une longue conversation entre les deux époux que Cécile accepta enfin de remettre un chèque, en acompte, au Manchot.

— Téléphonez-moi dès que votre type aura communiqué avec vous... ou encore, s'il survient d'autres événements.

Pour sortir, il fallait passer par la cuisine où Chantal était en train de manger. Comme Dumont allait sortir, la jeune fille l'interpela :

— Hé, le Manchot ! Sois franc, as-tu déjà rencontré deux personnes plus hypocrites que mes chers parents ?

— Chantal ! cria Cécile.

— Ah, ta gueule ! Si vous voulez la vérité vraie, monsieur le policier infirme, prenez exactement le contraire de tout ce qu'ils vous ont dit, puis, fumez ça dans votre pipe. Surveillez la fumée... vous verrez, c'est dans les nuages qu'on trouve les meilleures réponses.

Lorsque la porte de la maison se referma sur le Manchot, il murmura :

— Quelle famille !

Chapitre IV

LES MAINS LIÉES

La situation allait se compliquer rapidement. Cette enquête qui s'annonçait facile pour le Manchot prenait d'étranges proportions.

Deux jours s'écoulèrent sans que les Valois téléphonent à Dumont. Michel surveillait discrètement le mari.

— Ça semble le gars bien tranquille. Il fait sa job. Quand il a fini de travailler, il se rend dans un petit bar-restaurant avec un autre gardien. Ils prennent un verre, mangent, flirtent avec les serveuses topless, mais ça ne va pas plus loin. Puis, il rentre chez lui, toujours aux environs d'une heure trente.

— J'avais l'intention de te demander de surveiller les allées et venues de madame Valois, mais j'ai l'impression que tu obtiendras plus de succès avec Chantal. Occupe-toi d'elle. Je veux savoir les noms de ses amis... surtout celui de *son* ami. S'ils prennent de la drogue, cherche à connaître qui est leur fournisseur. Tiens, tes amis de la pègre pourront peut-être t'aider.

Le troisième jour, vers onze heures du soir, le Manchot reçut un appel chez lui.

— Monsieur Dumont, c'est Cécile Valois.

La femme semblait au bord de la crise d'hystérie.

— Il faut que vous veniez tout de suite. L'homme, enfin, celui qui a appelé, il est venu. Faites vite, j'ai peur.

Le Manchot sauta hors du lit et commença à se vêtir. Puis, il songea à Nicole. «Oui, elle pourrait m'être utile. Parfois, ça prend une femme pour s'occuper d'une autre femme.» Il téléphona donc à sa secrétaire. Heureusement, Nicole était à son appartement. Le Manchot passa la prendre et ils se rendirent ensemble chez les Valois. En arrivant, le détective fut surpris d'apercevoir le garde de sécurité.

— Vous ne travaillez pas ?

— Oui, mais ma femme m'a appelé. J'ai décidé de venir. C'est moi qui lui ai dit de vous téléphoner.

Déjà, Nicole s'occupait de madame Valois. Elle lui avait fait avaler deux comprimés pour lui calmer les nerfs.

— Que s'est-il passé?

— Ma femme se préparait à se coucher lorsqu'elle a entendu un bruit. Elle s'est approchée de la fenêtre. Heureusement qu'elle était encore assez loin, car une vitre a volé en éclats. On a lancé une roche dans la chambre... et à cette roche, il y avait une note qu'on avait attachée.

— Vous l'avez lue?

— Non. J'ai pas osé y toucher. Malheureusement, ma femme a pris la roche dans ses mains, elle a lu la lettre. Mais, quand même, vous pourrez peut-être y découvrir des empreintes.

— Je ferai examiner la roche. Allez me chercher le papier.

— Vous voulez pas questionner ma femme?

— Pas pour le moment. Ma secrétaire s'en occupe. D'ailleurs, tout ce qu'elle pourrait dire serait inutile. Elle m'a paru très nerveuse.

— Mettez-vous à sa place. Elle aurait pu recevoir la roche en plein front ou, encore, être coupée par des morceaux de vitre.

Valois sortit de la pièce et revint au bout de quelques secondes, avec un rectangle de papier qu'il tendit au Manchot. On avait écrit en lettres capitales, afin qu'on ne puisse pas identifier l'écriture. Il lut à haute voix.

Cécile,

T'aurais dû suivre mes conseils. Un détective privé, c'est pas mieux que la police officielle. Toi et ton mari, vous me poussez à bout. Tant pis, vous paierez tous les deux. Si seulement t'avais voulu, je t'aurais montré ce que c'est qu'un homme qui sait faire l'amour. Je change mon fusil d'épaule. Je remplace l'amour par l'argent... on en reparlera.

Évidemment, la lettre n'était pas signée.

— Votre femme a-t-elle appelé la police ?

— Non. D'ailleurs, je me demande pourquoi vous me posez cette question. Il était entendu que vous agiriez seul.

— Dites-donc, Valois, éclata le Manchot, avez-vous un million à dépenser pour cette enquête ? Il me faudrait des dizaines d'hommes pour avancer.

— Comment ça ?

— On peut s'attaquer à vous, je dois vous surveiller. Il faut surveiller les environs de l'endroit où vous travaillez. Maintenant, le maniaque ne se servira plus du téléphone et il parle de s'attaquer à votre épouse. Donc, il faut surveiller cette dernière, il faut placer des hommes autour de la maison. Et, enfin, je dois m'occuper de votre fille.

Valois demanda, surpris :

— Qu'est-ce que Chantal vient faire là-dedans?

— Cette lettre m'ouvre les yeux, vous savez. Notre inconnu dit des choses que vous et votre épouse m'avez racontées et que tout le monde ne peut pas connaître. Par exemple, il laisse entendre dans sa lettre que vous êtes un mauvais amoureux... Ensuite, il parle maintenant d'argent...

— Vous pensez pas que Chantal...

— Il n'y a rien à l'épreuve des jeunes d'aujourd'hui. Elle sait que sa mère possède trente mille dollars et elle cherche peut-être un moyen de s'emparer d'une partie de cette fortune.

— Ce n'est pas tout, fit Valois après un silence. Au lieu de téléphoner ici, il appelle au bureau, à l'usine. J'ai pas voulu en parler à Cécile... Mais il m'avait dit qu'il se vengerait sur elle.

Robert Dumont se promenait nerveusement, écoutant à peine ce que lui disait son client. Soudain, il s'arrêta et regarda Valois dans les yeux.

— Écoutez-moi bien, Valois. Je déteste qu'on se moque de moi. Je n'aime pas perdre mon temps. C'est clair?

— Qu'est-ce qui vous prend? Il me semble que ma femme vous paie cher pour...

— Justement, pourquoi? Vous recevez des

appels anonymes et on vous menace tous les deux. Pourquoi? Vous n'avez pas d'ennemis, vous n'avez jamais fait de tort à personne. On vous accuse d'avoir trompé votre femme, vous me jurez que vous n'avez pas de maîtresse. Ça ne tient pas debout, cette histoire. Ou bien quelqu'un ment... ou bien, il va falloir faire quelque chose au sujet de votre fille.

— Vous croyez que c'est elle qui...

— Il faut envisager toutes les possibilités. Pourquoi chercherait-elle à vous faire peur? Veut-elle obtenir de l'argent ou sa liberté? Je l'ignore. Je ne comprends pas et à votre place, je confierais cette affaire à la police.

— Cécile veut pas!

— Justement, trancha le Manchot en haussant le ton, il y a toujours quelque chose qui ne va pas. On décide de tirer sur vous, mais l'assassin vous manque. Est-ce un hasard, comme vous dites, ou l'a-t-on fait volontairement? Qui a prévenu cet inconnu que j'avais installé un magnétophone sur votre téléphone? Il doit le savoir, puisque, maintenant, il appelle à votre bureau.

Dumont se dirigea vers l'appareil téléphonique.

— Il doit bien y avoir eu quelques appels enregistrés?

Quelques instants plus tard, il constatait que le ruban avait capté quatre conversations.

Dans la première communication, Cécile Valois causait avec une amie. Cela n'apportait aucun éclaircissement sur l'affaire.

Ensuite, on entendait la voix de Chantal : « C'est toi, Bernie ? Écoute-moi bien, tu connais les parents, n'est-ce pas ? »

L'autre lui répondait à peine.

« Les miens sont pires que je pensais. Sais-tu ce qu'ils ont trouvé pour me faire surveiller ? Ils enregistrent mes conversations. Tout ce qu'on se dit, maintenant, ils vont l'écouter attentivement. Eh bien, moi, je leur dis de manger de la marde. À l'avenir, je téléphonerai en dehors de la maison. Avertis Ti-Paul, André, Jackie, Loulou et tous les autres de pas m'appeler. On veut jouer au fou ? On va s'amuser, et vous, chers parents de mon cœur qui écoutez cette conversation, allez au diable. »

Et on raccrochait.

La troisième conversation en était une autre de Cécile avec la même amie : elle était sans importance.

Quant à la dernière, elle était très courte. C'était une voix d'homme : « Allô ? Allô ? C'est toi ? Allô ? C'est moi, Gerry... »

Puis, une voix féminine, à peine perceptible, disait : « Téléphone plus ici, je t'appellerai. »

Et on raccrochait. Le Manchot prit la bobine et la remplaça par une autre.

— Je ne crois pas que ces conversations

puissent nous aider, mais je les apporte quand même. Bernie, Gerry, Ti-Paul, André, Jackie, Loulou, ce sont tous des amis de votre fille?

— Je les connais pas tous. Ils sont probablement plus nombreux que ça. Ils se réunissent dans les restaurants, les discothèques...

Juste à ce moment, Nicole apparut, suivie de Cécile Valois.

— Monsieur Valois, votre épouse voudrait vous demander une chose que je trouve très raisonnable.

— Laquelle? s'enquit Valois, levant les sourcils d'un air méfiant.

— Allez-y, madame, parlez.

Cécile hésitait.

— À cause de tous ces appels, dit-elle enfin, puis de cette roche qui aurait pu me blesser, j'en peux plus. J'ai jamais eu de repos, moi. Je dois m'occuper de la maison, de Chantal qui m'écoute pas, de toi... j'en peux plus. Je veux pas me retrouver dans un hôpital psychiatrique.

— Où veux-tu en venir?

— Tu m'as toujours reproché de conserver mon argent, de pas dépenser... Eh bien, mademoiselle m'a donné une bonne idée. Je vais prendre quelques jours de vacances... si tu le veux. Je vais m'éloigner pour une quinzaine de jours.

— Tu vas aller chez ta tante, je suppose,

ricana Valois. Cette vieille pimbêche possède un camp dans le Nord.

— Il est pas question de ça. Non, je vais aller à Miami.

Valois éclata de rire.

— Toi, seule, à Miami ? Je suis pas contre, mais je sais fort bien que tu y resteras pas trois jours.

À ce moment, le Manchot intervint :

— Mais c'est une excellente idée. Ça me permettrait de travailler plus librement, sans avoir les mains liées. Une personne de moins à surveiller, c'est quelque chose. Et puisque vous avez peur que votre épouse s'ennuie, eh bien, ma secrétaire pourra l'accompagner.

Nicole sursauta :

— Quoi ? Mais c'est impossible, on a du travail et...

— Tu viens de terminer un film, tu as besoin de repos et je trouverai une remplaçante pour une quinzaine. Voyez-vous ça, un patron qui est prêt à payer des vacances à son employée, et elle refuse.

— Mais, Robert...

— Nous en discuterons plus tard, Nicole.

Et se tournant vers Cécile Valois, il dit d'un ton sans réplique :

— Ma secrétaire va s'occuper des réservations, de tout. Vous pouvez partir d'ici deux ou trois jours, madame ?

— Oh, vous savez, faire les valises, c'est pas bien long.

Quelques minutes plus tard, le Manchot et Nicole quittaient la demeure des Valois. Le détective rapportait avec lui la roche, le fameux message et la bobine sur laquelle étaient enregistrées les conversations.

— Robert, fit Nicole en montant dans la voiture, vous savez fort bien que je peux difficilement m'absenter et...

Tout en conduisant de sa main droite, le Manchot observa :

— Pour une fille qui dit m'aimer, tu te conduis drôlement. Tu refuses des vacances que je t'offre et, deuxièmement, tu me parles comme à un étranger. Il me semble que tu pourrais au moins me tutoyer.

— Devant les étrangers, les clients ? Ça fait sérieux, une fille qui tutoie son patron ?

— Non, tu as raison, mais quand nous sommes seuls tous les deux...

La voiture ralentit. Déjà, ils étaient rendus à l'appartement de Nicole.

— Si j'ai décidé de t'envoyer à Miami avec elle, ce n'est pas strictement pour la surveiller, la protéger, non. J'ai une autre bonne raison.

— Alors, on va en discuter ailleurs. Viens, je t'invite à prendre un café.

Et pendant qu'elle préparait le café, Nicole demanda :

— Alors, cette bonne raison, qu'est-ce que c'est ?

Le Manchot arriva derrière elle, l'enlaça doucement et la serra contre lui.

— C'est que... je t'aime vraiment.

Et ils échangèrent un long baiser, le premier véritable baiser passionné. La main droite du Manchot caressa le corps de son amie qui vibrait sous ses doigts.

— Robert !

Le Manchot éteignit le feu sous la cafétière.

— Je crois que nous n'avons pas besoin de café pour nous stimuler.

Nicole le guida vers sa chambre.

— Je t'ai prévenu, murmura la jolie fille, je suis très passionnée.

Et elle le prouva amplement. À présent, étendu sur le lit, le couple grillait une cigarette.

— Maintenant, tu vas m'expliquer ce paradoxe. Tu dis m'aimer et tu veux te séparer de moi.

Le Manchot prit son temps pour répondre, pour expliquer son comportement.

— Nicole, je t'aime. Je ne voulais peut-être pas l'admettre au début, à cause de la différence d'âge... Et puis, tu vas me trouver vieux jeu,... c'est peut-être dû à mon éducation... mais je tiens au mariage.

— Ah !

— Ça te déçoit ?

— Mais non, pas du tout.

— J'ai toujours rêvé d'avoir un foyer bien à moi, une femme et, qui sait, peut-être des enfants. Ça, je ne le veux pas hors du mariage.

Pour toute réponse, elle l'embrassa longuement.

— Avant de prendre une décision, dit-il, avant de nous engager pour la vie...

— Mais, je suis prête à dire oui, tout de suite, l'interrompit-elle.

— Non, justement, il faut être sûrs de nous. Tu vas partir pour Miami. Nous ferons d'une pierre deux coups. Tu protégeras Cécile Valois et le fait de vivre éloignés l'un de l'autre nous éclairera sur nos sentiments.

Mais Nicole se blottit dans ses bras.

— Pas besoin de ça. Pour la première fois, j'aime. J'aime, Robert ! Ce sera un sacrifice que de vivre éloignée de toi. Je refuse.

— Allons, ne fais pas ton enfant gâtée, fit le Manchot en se levant. À ton retour, si, tous les deux, nous n'avons pas changé d'avis, nous fixerons immédiatement la date du mariage.

Nicole le regarda :

— Qu'est-ce que tu fais ?

— Le jour va bientôt se lever et...

— Quelqu'un t'attend ?

Elle l'attira sur elle.

— Je te garde. Je t'adore, je t'aime, je te veux.

*

* *

D'un commun accord, Robert et Nicole avaient décidé de ne pas mettre Michel au courant de leur décision. Trois jours plus tard, à la grande surprise du jeune homme, Nicole s'envolait pour Miami, en compagnie de Cécile Valois.

Dès son arrivée, elle téléphona au Manchot.

— Jamais je pourrai demeurer quinze jours ici. Je m'ennuie déjà à mourir.

— Nicole, sois raisonnable. C'est la première fois que tu prends des vacances à Miami ?

— Oui. Je suis surprise. On a un motel sur le boulevard Collins. C'est pas la campagne, c'est une vraie ville. Tous les motels se suivent, on voit rien que ça, et, de l'autre côté de la rue, des centres d'achats. Ça fait drôle. Heureusement, la plage semble magnifique.

— Amuse-toi, Nicole et, surtout, n'abandonne pas Cécile Valois. Suis-la partout. Je la crois en sécurité... mais on ne sait jamais.

Deux jours s'écoulèrent. Curieusement, avec le départ de Cécile Valois, les appels avaient brusquement cessé. Ce soir-là, Lucien Valois était à son travail, comme à l'ordinaire, lorsque soudain le téléphone sonna.

— Laisse faire, Gaston, je vais répondre. C'est sûrement pour moi.

Mais Valois se trompait. C'était une voix de femme, mais elle demandait à parler à Gaston Goulet, le compagnon de travail de Valois.

— Pour toi, Gaston! Une femme.

— Une femme, fit Goulet, surpris. Mais on m'appelle jamais ici.

Il prit rapidement le récepteur.

Quelques secondes plus tard, il raccrochait. Il était livide et sa bouche tremblait.

— Qu'est-ce qui se passe, Gaston?

— Denis, mon petit garçon, celui qui a dix ans... Il a été frappé par une voiture, juste devant la maison.

— Quoi?

— Il est à l'hôpital. Il faut que j'y aille.

Tous les jours, Valois passait prendre son ami et le reconduisait après le travail. Goulet avait bien sa voiture, mais il préférait verser un montant hebdomadaire à Valois et laisser le véhicule à son épouse.

— Tiens, prends ma voiture, fit Lucien en tendant les clefs à son ami.

— Mais, si je reviens pas...

— C'est pas grave. Je prendrai l'autobus, pour une fois. On peut bien se rendre service. Tu sais qu'il est pratiquement impossible de trouver un taxi dans ce coin-ci.

— Merci, Lucien, je l'oublierai pas.

— Si tu as une seconde, à l'hôpital, téléphone-moi pour me donner des nouvelles.

— Entendu.

Gaston Goulet sortit en courant de l'édifice. Une minute plus tard, une violente explosion ébranlait le quartier.

— « Qu'est-ce qui se passe ? » songea machinalement Valois en se dirigeant vers la fenêtre. Et il aperçut, à deux pas de la manufacture, une masse fumante, une masse noire rougie par les flammes. Sa voiture avait été déchiquetée par l'explosion.

Chapitre V

ON BLÂME LE MANCHOT

Lorsque Robert Dumont arriva sur les lieux de la tragédie, il y avait déjà foule. Les policiers, les journalistes et les curieux étaient nombreux. On empêchait les gens d'approcher.

— Laissez-moi passer, fit le Manchot à un policier.

— Restez là. J'ai reçu des ordres et...

— Je suis Robert Dumont, détective privé, j'enquête sur cette affaire.

Le policier, un jeune qui n'avait jamais connu le Manchot, jeta à peine un coup d'œil sur la carte que lui tendait le détective privé.

— Même si vous étiez le premier ministre, je vous laisserais pas passer.

— Puisque je vous dis que je m'occupe de cette affaire.

— On n'a pas besoin d'aide des amateurs. Éloignez-vous.

Dumont perdit patience. Il tendit la main gauche et sa prothèse se serra sur le bras du jeune policier.

— Hé! Qu'est-ce qui vous prend? Laissez-moi, vous allez me casser le bras.

— Qui est en charge? Répondez!

— C'est moi, fit une voix.

Le Manchot avait instantanément reconnu la voix de l'inspecteur Bernier, son ancien supérieur, chef de l'escouade des homicides de la police municipale.

Les deux hommes ne s'étaient jamais aimés. Bernier avait toujours été un officier dur, n'admettant jamais la réplique. Quand le Manchot avait subi l'amputation d'une partie de son bras gauche, Bernier l'avait confiné dans un travail ennuyeux: mettre de l'ordre dans les vieux dossiers de son escouade. Robert Dumont n'avait pu supporter cette inactivité. Il s'était querellé avec Bernier, les deux hommes en étaient presque venus aux coups et le Manchot avait préféré accepter la pension que lui offraient ses employeurs.[1]

---

1. Lire les premiers épisodes de la série « *Le Manchot.* ».

— Qu'est-ce que vous faites ici, Dumont?

— Lucien Valois est mon client.

— Qui est Lucien Valois?

— L'homme qui vient d'échapper miraculeusement à la mort, pour la deuxième fois.

L'inspecteur Bernier paraissait ne rien comprendre.

— Le type qui a été tué se nomme Gaston Goulet.

— Je sais. On s'est trompé de victime.

— Ah, bon! dit l'inspecteur qui comprenait enfin. Valois, ce doit être ce type qu'on a fait transporter à l'hôpital.

— Pourquoi?

— Il était en train de nous piquer une crise d'hystérie. Restez ici, Dumont, j'aurai quelques questions à vous poser, tantôt. Je n'ai pas de félicitations à vous adresser. Si vous aviez à protéger votre client, on peut dire que c'est une réussite totale.

Et avant de s'éloigner, Bernier ordonna à un de ses subalternes de surveiller le Manchot.

Celui-ci avait reçu un coup de fil de Valois, immédiatement après l'explosion.

Le garde de sécurité criait, dans le récepteur:

— Goulet a dû être tué.

— Qui est Goulet?

— Ma voiture était piégée, je l'ignorais. Je la lui avais prêtée... Venez, venez vite. La police sera sûrement ici d'une minute à l'autre.

Et il n'avait pu obtenir d'autres informations. Le Manchot avait bien tenté de rejoindre Michel Beaulac, mais ce dernier n'avait pas répondu à son appel.

Depuis le départ de Cécile en compagnie de Nicole, le Manchot avait demandé à son assistant de s'occuper de Chantal Valois et de ses amis.

— Les jeunes sont capables de tout, aujourd'hui. Chantal sait que sa mère a de l'argent mais qu'elle refuse de le dépenser. Pourtant, elle ne lui refuse rien, en autant que l'argent fourni par le père le permet.

Et le Manchot songeait que la jeune fille avait pu mettre un plan à exécution.

— Forcer ses parents à se séparer définitivement. De cette façon, madame Valois recevrait une bonne pension alimentaire de son mari et Chantal pourrait lui en gruger une partie.

Mais de là à se rendre jusqu'au meurtre... Robert Dumont avait de la difficulté à le croire. Il savait, par contre, que les époux Valois avaient de fortes assurances sur la vie, des assurances avec double indemnité. « Mais j'ai de la difficulté à croire qu'une fille, même dévergondée, puisse aller jusque-là. » Non, il y avait autre chose sous cette affaire, une chose qu'on avait refusé de lui dire. « Ces appels anonymes, ces menaces, c'était sérieux. Et celui qui a parlé accusait nettement Valois d'avoir une maîtresse... »

Mais alors, pourquoi Valois n'avait-il pas dit la vérité ? Pourquoi avait-il engagé le Manchot, sachant fort bien que ce dernier allait tout découvrir. « Peut-être qu'en m'engageant, il croyait faire peur à celui qui téléphonait. » Et le détective se rendait compte qu'il n'était guère plus avancé qu'au début de son enquête.

Et maintenant, voilà qu'on venait de tenter de tuer Valois en plaçant un engin explosif sous le capot de sa voiture. « Encore une fois, l'assassin a mal visé. Il s'est trompé de victime, sans le vouloir. »

Mais ce meurtre n'avait rien d'un travail d'amateur. On voyait des crimes de la sorte dans les milieux de la pègre. « Oui, un tueur à gages peut agir de cette façon, bien que la plupart du temps, ces hommes se servent de revolver. »

Michel avait maintenant des amis dans le milieu. Il pouvait poser des questions sans trop attirer l'attention. Mais voilà : il avait été incapable de rejoindre le jeune homme.

Maintenant, le Manchot aurait bien voulu se rendre à l'hôpital et questionner Valois avant les policiers. Mais Bernier le faisait surveiller de près et il savait que l'inspecteur ne lui donnerait aucune chance.

Quinze minutes s'étaient écoulées et Robert

Dumont était toujours là, à attendre que Bernier le fasse demander.

— Moi, j'en ai assez, je m'en vais.

— L'inspecteur vous a dit de pas bouger.

— Justement, j'ai autre chose à faire que de me plier à ses caprices. Appelez-le, je veux lui dire deux mots.

Bernier arriva bientôt, un sourire sarcastique au coin des lèvres.

— Alors, Dumont, vous trouvez le temps long ?

— Inspecteur, je sais que, présentement, vous êtes très occupé. Je suis prêt à répondre à toutes vos questions, bien que je ne sache pas grand-chose. Mais voyez-vous, je gagne ma vie à titre d'enquêteur privé et j'ai un rendez-vous important. Je suis prêt à me rendre à votre bureau, demain matin, si vous le désirez.

L'inspecteur demanda :

— Savez-vous si la victime a une épouse, des enfants ?

— J'ignore tout de lui, même son nom. Je ne sais qu'une chose. Lucien Valois a reçu des menaces et m'a demandé de faire enquête. C'est sa voiture qui a explosé. Pourquoi Goulet était-il dedans ? Je l'ignore. Qui a fait des menaces à Valois ? Je n'en sais rien, c'est Michel qui enquête là-dessus.

Bernier éclata :

— Il me semble, Robert Dumont, que vous

avez fait partie du corps policier durant assez de temps pour savoir qu'on doit rapporter toute menace de mort aux autorités officielles.

— Qui vous dit qu'il s'agissait de menaces de mort, inspecteur ?

— Je m'en doute. Vous avez manqué à votre devoir, Dumont. Ce n'est pas avec l'aide de deux ou trois policiers à leur retraite que vous pouvez surveiller des personnes menacées, les surveiller nuit et jour.

Et il ajouta :

— Si je dresse une charge contre vous, je peux vous faire perdre votre permis, ou même vous faire accuser de négligence criminelle.

— Si le ridicule tuait, répliqua Dumont, il y a longtemps que j'aurais eu le plaisir d'assister à vos funérailles.

— Taisez-vous ! Je ne sais ce qui me retient de vous faire coffrer immédiatement.

— Je le sais, moi. Je me ferais libérer aussitôt, sous caution, et vous seriez couvert de ridicule. D'ailleurs, tous les journalistes qui nous écoutent se rendent bien compte que vous agissez comme un sacré imbécile !

L'inspecteur se retourna vivement. En effet, plusieurs journalistes prêtaient une oreille attentive à leur conversation.

— Vous autres, hurla-t-il, je vous défends d'imprimer un seul mot de ce qui se dit ici. Quant à vous, Dumont, disparaissez. Je veux vous voir à mon bureau demain matin, à neuf heures, vous avez compris?

— À vos ordres, inspecteur.

Le Manchot eut à peine le temps de s'éloigner que, déjà, plusieurs journalistes l'entouraient.

— Vous savez quelque chose sur cette affaire?

— On s'est trompé de victime?

— Vous êtes un peu responsable de cet accident?

Le Manchot répliqua:

— Vous avez entendu l'inspecteur? Vous le connaissez? Si vous imprimez un mot de notre conversation, il vous le fera payer cher et vous savez que Bernier met toujours ses menaces à exécution.

Mais il ajouta, avec un sourire moqueur:

— Cependant, sans répéter ce que vous avez entendu, il ne peut vous empêcher de tirer certaines conclusions. Un journaliste habile peut toujours s'en sortir. Moi, je ne puis en dire plus long avant d'avoir posé quelques questions à Valois, le type qui a prévenu les policiers et qu'on a conduit quelque part, dans un hôpital, je crois.

— Oui, à Sacré-Cœur, répondit un journaliste.

C'était tout ce que le Manchot désirait savoir.

— Je vous promets, messieurs, de tenir une conférence de presse dès que j'en saurai plus long sur cette affaire.

Il s'éloigna et monta dans sa voiture. Mais, avant de la mettre en marche, il tenta de nouveau de communiquer avec Michel Beaulac.

— Le Manchot appelle Michel, le Manchot appelle Michel.

— Je vous écoute, patron.

— Où étais-tu? J'ai cherché à te rejoindre plus tôt.

— Dans une disco où je surveillais la fille Valois, comme vous me l'avez demandé.

— Eh bien, laisse-la tomber. Va trouver tes amis du milieu.

Et il lui conta ce qui s'était passé.

— Il se peut qu'on parle de cette affaire. Alors, écoute bien tout ce qui va se dire et essaie d'obtenir le plus de renseignements possible.

— Compris. On se revoit demain matin?

— Non, je dois passer au bureau de Bernier à neuf heures et il est assez bête pour me retenir là jusqu'à midi. Donne du travail à la remplaçante de Nicole et attends mon retour. Occupe-toi des choses urgentes.

— Bien, patron. Oh, si ce soir j'apprends des choses importantes, vous serez chez vous?

— Évidemment, tu pourras m'appeler. Terminé.

— Terminé.

Le Manchot ferma sa radio et fonça immédiatement vers l'hôpital du Sacré-Cœur.

Il entra à l'urgence, là où les patients doivent souvent attendre des heures avant de se faire soigner.

— On a amené ici un nommé Valois, en proie à une crise nerveuse, il y a environ une heure de ça. C'est la police qui a dû le conduire ici.

À ce moment, un policier s'avança.

— Bonsoir, monsieur Dumont. Vous vous intéressez à monsieur Valois ?

— Oui, c'est un de mes clients. L'inspecteur Bernier m'a dit que je le trouverais ici. Croyez-vous que je puisse lui parler ?

— Les médecins lui ont donné une injection, mais on va le libérer avant le jour. L'inspecteur veut que je le conduise au poste.

— Il dort ?

— Je crois pas. C'est rien qu'une question de minutes pour qu'il puisse obtenir son congé.

Et le policier se dirigea vers une des portes sur lesquelles on avait affiché d'immenses numéros.

— Attendez-moi ici, je vais voir.

Le policier revint au bout d'une couple de minutes et fit signe au Manchot.

— Il peut parler. Il attend seulement que le médecin l'examine une dernière fois pour avoir son congé.

Le Manchot suivit le policier à l'intérieur de la petite salle.

— Je regrette, monsieur Dumont, mais vous devez comprendre que je dois rester près de cet homme. Les ordres sont sévères.

— Je n'ai aucune objection. La conversation n'a rien de confidentiel.

Valois n'était guère de bonne humeur.

— Je me demande encore pour quelles raisons on m'a envoyé à l'hôpital. Après tout, je suis pas blessé.

— Allons, soyez calme, Valois et dites-moi ce qui s'est passé. Tout d'abord, avez-vous téléphoné à votre femme à Miami pour lui raconter l'incident?

Valois regarda le Manchot d'un air de dédain.

— Vous faites un joli détective, vous. On a eu raison de pas vous garder dans la police officielle.

Le Manchot n'appréciait guère les jugements de ses propres clients.

— Laissez faire les remarques désobligeantes, et répondez à mes questions.

— Des questions idiotes. Si vous croyez que j'ai eu le temps de loger un appel longue-distance à Miami, vous vous trompez. Et puis, je veux pas troubler les vacances de ma femme. Après tout, il m'est rien arrivé.

— Non.

Et Robert Dumont, très calmement, en regardant son client dans les yeux, déclara :

— Quand survient un événement imprévu, on oublie ce qu'on a fait, ce qu'on a préparé. On n'y pense plus et soudain, cet oubli cause une mort.

Valois était très pâle.

— Que voulez-vous insinuer ?

— Votre femme a de l'argent, mais vous ne pouvez vous en servir. Vous avez de fortes assurances sur sa vie. Vous décidez de la rendre nerveuse, presque folle. Vous lui faites des appels, en changeant votre voix.

Le garde de sécurité bondit hors de son lit.

— Mais vous êtes fou, Dumont !

— Vous m'engagez pour endormir tous les soupçons. Je place une enregistreuse chez vous et les appels cessent, vous dites en recevoir au bureau, mais rien ne le prouve. Vous demandez à un complice, peut-être même un enfant, de lancer une roche dans la vitre de la chambre de votre épouse. Cette fois, elle craquera. Il y a deux solutions possibles. Elle devient folle et vous la faites enfermer, ou encore vous la tuez. Vous pouvez faire croire au suicide ou à une attaque du maniaque.

Valois cria, à l'adresse du policier qui accompagnait Dumont.

— Mais empêchez-le de parler, vous voyez bien que cet homme-là divague. C'est lui qui devrait être à ma place.

Mais le Manchot, toujours très calme, continuait son récit :

— Pour faire croire véritablement au maniaque, vous tirez une balle dans un mur et vous dites qu'on vous a manqué de peu. Et ce soir, c'est le grand coup. Vous placez une bombe sous le capot de votre voiture. Quand vous sortirez, vous tournerez la clef, vous mettrez le moteur en marche, mais descendrez de voiture pour vérifier quelque chose et voilà, la voiture explosera et par miracle, vous aurez la vie sauve. Cette fois, tout le monde croira à l'histoire du maniaque. Mais survient l'incident qui obligea votre compagnon de travail à partir précipitamment. Vous oubliez la bombe, vous donnez vos clefs et lorsque vous y songez, il est trop tard. La voiture a explosé et maintenant, il y a un meurtre.

Pendant que le Manchot finissait de parler, Valois avait enlevé sa robe de chambre, son pyjama et revêtait ses habits de garde.

— Que comptez-vous faire ? demanda le policier.

— Sortir d'ici. Vous m'accompagnerez. Je

veux me rendre au poste de police. Vous avez entendu les accusations portées par ce malade?

Mais Dumont le corrigea:

— Pardon, je ne porte aucune accusation, je dis simplement que le tout s'est peut-être passé de cette façon. J'ai la nette impression qu'on s'est servi de moi comme couverture.

Valois se planta devant lui.

— Voulez-vous que je vous dise? Tout ça, c'est votre faute. Si vous aviez fait votre enquête comme il faut, si vous m'aviez fait surveiller pour me protéger, il y aurait pas eu meurtre. C'est votre faute, Dumont. Vous êtes responsable de la mort de Gaston Goulet.

Craignant que les deux hommes n'en viennent aux coups, le policier de faction intervint.

— Vous, Valois, vous allez demeurer ici, ce sont les ordres. Vous, monsieur Dumont, vous êtes en colère car, tout d'abord l'inspecteur, puis monsieur Valois tentent de jeter le blâme sur vos épaules. Il est tard. Moi, je vous conseille de vous reposer, tous les deux. Demain, vous vous retrouverez chez l'inspecteur Bernier. On pourra alors mettre les cartes sur table et éclaircir la situation.

Dumont admit que le policier avait entièrement raison. Il s'excusa même auprès de Valois.

— Je n'aurais peut-être pas dû parler. Mais

je déteste qu'on se moque de moi. Je ne souffrirai jamais qu'on se serve de moi comme auparavant pour camoufler des crimes.

Il n'osait pas l'avouer, mais c'était cette impuissance, cette impression de tourner en rond dans son enquête qui le mettait hors de lui. On lui cachait tout. On l'engageait, mais sans lui donner une seule chance d'accomplir sa mission.

Serrant les dents, le Manchot murmura pour lui-même :

— Mais, malgré tout, je débrouillerai cette affaire, je la débrouillerai. Il y a un coupable, un assassin, un maniaque qui se cache en dessous de tout ça et je le démasquerai.

Il n'avait jamais vu une affaire aussi emmêlée. « Les appels à la femme, les menaces, les appels du mari, la première tentative de meurtre contre Valois, la roche qui aurait pu blesser Cécile et, enfin, cet accident tragique. » Rien ne se tenait, aucun fil conducteur n'était encore perceptible. « On dirait un coup monté par des débutants qui foncent, soit à gauche, soit à droite, sans savoir où ils frapperont. On veut peut-être se débarrasser du couple... »

Et, déjà, une autre idée germait dans la tête du détective.

Chapitre VI

LA LOI DU SILENCE

Avant de quitter l'hôpital, le Manchot fit promettre à Valois de ne pas téléphoner à sa femme.

— Il ne vous est rien arrivé, c'est le principal. Moi, je vais rejoindre Nicole pour la mettre au courant.

— Je n'aurais pas dû m'emporter, s'excusa Valois, à son tour. Pourtant, je connais le métier. Vous m'avez tendu des pièges, c'était votre devoir.

— Je voudrais seulement que Bernier raisonne comme vous. Mais j'ai l'impression que, demain matin, c'est encore moi qui serai blâmé.

Robert Dumont rentra chez lui. Il avait besoin de repos; il avait surtout besoin d'oublier cette affaire, un véritable labyrinthe dans lequel il ne parvenait pas à se retrouver. « Heureusement, demain matin, je téléphonerai à Nicole. Je pourrai lui parler, entendre sa voix. Je préfère la savoir là-bas plutôt qu'ici : au moins, elle est en sécurité. Je sens que je ne pourrai plus jamais me passer d'elle. »

Avant de s'endormir, il songea également à Michel Beaulac, le grand Michel qui devait, cette nuit, rencontrer ses « amis » de la pègre, chercher à leur soutirer des renseignements sur cette fameuse explosion. « Et si c'était Chantal, si c'était cette petite dopée, devenue folle et qui décide, avec l'aide de sa bande, de se débarrasser de ses parents, de les tuer tous les deux ? »

Son imagination était entraînée dans une ronde infernale d'où elle ne pouvait s'esquiver. Il ne dormit que quelques minutes et s'éveilla brusquement, tout en sueur.

Dans son rêve, il avait vu Valois, faisant des appels anonymes. Il avait vu un groupe de jeunes déments qui ne voulaient que tuer. Sa propre voiture explosait et, de loin, riant à gorge déployée, il avait reconnu l'inspecteur Bernier.

Le Manchot se leva et, pour la seconde fois en moins d'une heure, il prit une douche, laissant, à la fin, l'eau glacée couler le long de son corps. Puis il retourna au lit. Il lui fallait tout oublier, il avait besoin de repos.

Michel Beaulac aussi était fatigué. Il travaillait surtout la nuit. Il fréquentait ses nouvelles relations de la pègre.

On avait oublié temporairement sa dette et, par surcroît, on ne lui avait jamais demandé de service. « Mais j'ai l'impression que ça ne tardera pas, songeait-il parfois. On me fera payer ce que je dois, d'une façon ou d'une autre... et j'ai pas hâte ! »

Beaulac avait l'impression d'avoir perdu son temps en surveillant Chantal et ses amis. Une piste, très mince, se dessinait peut-être. Il n'avait pas voulu en parler au Manchot.

Le groupe que fréquentait Chantal se tenait souvent dans un petit restaurant aménagé dans un sous-sol. C'était une sorte de repaire. Or, Michel avait vu sortir de ce restaurant un type qu'il avait cru reconnaître. Dans le milieu, on l'appelait simplement le « balafré ». On avait même prévenu le jeune policier.

— Méfie-toi de lui. Pour faire quelques piastres, il serait capable de vendre sa mère.

— Qu'est-ce qu'il fait exactement ?

— De tout. Il est pick-pocket, il vend de la drogue aux jeunes, mais c'est de la mauvaise marchandise. Il vend aussi du whisky frelaté. En un mot, c'est un membre inutile chez nous, un déchet.

Et Michel était presque certain de l'avoir reconnu. « Si ce type est le fournisseur des jeunes, ces enfants-là courent un danger. Il faut que je me renseigne.

Puis il y avait eu cet appel du Manchot. Il devait maintenant se renseigner habilement au sujet de l'explosion.

Beaulac s'était rendu dans un club privé, là où il savait pouvoir rencontrer plusieurs membres importants du milieu. Dans un coin, des hommes jouaient aux cartes.

— Salut !

Il approcha une chaise, s'assit et regarda le jeu se dérouler, en silence.

Lorsque la brasse fut terminée, Michel murmura :

— Ç'a pas réussi, l'histoire de la bombe dans la voiture. Ils se sont trompés de gars.

Les hommes se retournèrent.

— Qu'est-ce que tu racontes-là ? Quelle bombe ?

— Une voiture qui a pété comme un feu d'artifice. L'engin était sous le capot. Un travail bien fait, mais pas la victime qu'ils voulaient.

Juste à ce moment, un homme fort bien mis lui posa la main sur l'épaule.

— Où c'est que t'as appris ça ?

— Je l'ai appris, c'est tout.

— On me répond jamais de cette façon, à moi. C'est toi, Beaulac, qui était dans la police, autrefois ?

— Oui.

— J'ai à te parler.

Michel suivit le type dans un autre coin de la pièce. Là, les fauteuils étaient plus moelleux, c'était presque un salon.

— Assis ! Cigare !

Un colosse apparut et offrit immédiatement un cigare à l'homme qui avait entraîné Michel.

— Du feu.

On le servait comme un roi.

— Ici, fit-il en se penchant vers Michel, on m'appelle simplement « monsieur Lionel ». Compris, le jeune ?

— Compris.

— Disons que je suis le bras droit de Bartino. T'as des dettes envers nous, mais t'es prêt à nous rendre de petits services. T'as bien compris l'affaire. Mais je te préviens, j'aime pas les types qui jouent double. Les visages à deux faces, ça m'écœure. Tu m'as compris ?

Il s'était rapproché en disant ces derniers mots, et il avait presque mis son cigare dans la face de Michel.

— Oui, oui, j'ai compris.

— Quand un type devient gênant pour nous, il disparaît mystérieusement. On le retrouve jamais... ou encore, il explose... dans sa voiture.

Et d'une voix sèche, il demanda :

— Qu'est-ce que c'est que cette histoire d'explosion ? Tu essayais de tirer les vers du nez aux gars ?

— Pas du tout, je croyais qu'ils étaient au courant. J'ai reçu un appel du Manchot. Un type a sauté avec sa voiture. J'ai pensé que...

— T'as pas à penser, t'as rien qu'à exécuter les ordres qu'on te donnera. Qui a été tué ?

— Un garde de sécurité, un nommé Goulet. Mais c'est pas lui qu'on visait, c'est Valois.

— À quel endroit ?

Michel donna les détails.

— T'as pris ça en note, Tom ?

— Oui, fit le colosse.

— Renseigne-toi. Cette explosion peut nous attirer des ennuis. On connaît aucun de ces deux types. Mais si la voiture a explosé comme tu dis, c'est pas un travail d'amateur. Je déteste les gars qui prennent du travail sans me prévenir. Je veux le plus de renseignements possible. Tu me les communiqueras à moi, ou à Bartino, pas à d'autres.

Tom s'éloigna sans dire un mot.

— Et toi, le jeune, écoute-moi bien. Tout ce

que tu entends ici, faut que ça reste ici. On aime
pas les gars qui ont la langue trop bien pendue.
On la leur coupe. Tu sais ce que ça veut dire ?
Tu as déjà entendu parler de la loi du silence ?

— Oui.

— On la fait observer. Ceux qui l'oublient...
ils l'observent malgré eux.

Il éclata de rire.

— Pas vrai, les gars ?

Tous ceux qui entouraient monsieur Lionel
approuvèrent.

— T'as fait partie de la police, toi. T'as
encore des amis, là-bas ?

— Quelques-uns.

— Tu fais mieux d'en avoir. Note le nom que
je vais te donner : Jos Peckroy. Il est arrivé de
Détroit ce matin. Je veux savoir si la police est
au courant, je veux savoir si on possède
quelque chose sur lui.

— Je vais essayer de me renseigner.

Monsieur Lionel cligna des yeux, souffla sa
fumée dans la figure de Michel puis :

— Non, tu vas pas essayer, gronda-t-il, tu
vas te renseigner. Je veux des résultats. Ça
pourra effacer une partie de ta dette.

— Compris.

Lionel demanda :

— C'est ce Manchot qui t'a demandé de
questionner au sujet du poseur de bombe ?

— Pas du tout. Moi, je croyais que les gars

étaient au courant. Si je vous ai appris une nouvelle, c'est tant mieux.

Et de nouveau, Lionel faillit le brûler au front avec son cigare.

— Mets-toi bien une chose dans la tête, Toto... dans ta petite cervelle, et tu peux le répéter à ton type pas de bras. Nous, on s'occupe pas des types peu importants comme ce nommé Valois. On y est pour rien dans ce coup. C'est clair ?

— C'est clair.

— Tom va sûrement apprendre qui a posé cette bombe et qui a payé pour faire exécuter ce travail.

Et, baissant la voix, monsieur Lionel ajouta :

— Si tu m'obtiens les renseignements que je t'ai demandés concernant Peckroy, je te ferai peut-être part des découvertes de Tom.

Juste à ce moment, un des hommes déclara :

— C'est la spécialité de Gerry, et ça fait quelques jours qu'on l'a pas vu.

Brusquement, monsieur Lionel se retourna :

— Tu parles trop, Noirot. Quand Bertino m'a dit que t'avais une grande gueule, il avait raison.

— Excusez-moi.

Monsieur Lionel se leva.

— Je te conseille de pas rester ici, le jeune.

On aime pas les fouineux. Et oublie pas, un petit service en attire un autre.

Michel se leva à son tour.

— Vous pouvez compter sur moi. Je vous obtiendrai les renseignements que vous désirez. J'ai été enchanté de faire votre connaissance, monsieur Lionel, ajouta Michel en lui tendant la main.

Lionel jeta un coup d'œil sur la main du jeune homme, mais ne la prit pas. Un homme important comme lui ne s'abaissait jamais à serrer la main d'un petit subalterne. Michel s'empressa de sortir du club. Puis il monta dans sa voiture et décida de rentrer chez lui. Le long de la route, il réfléchissait. « Le patron a rendez-vous au bureau de l'inspecteur demain matin. Il pourrait probablement obtenir ces renseignements, sans attirer l'attention. Je vais lui téléphoner... pas tout de suite, demain matin, avant qu'il parte pour le poste de police. »

La voiture de Michel s'arrêta devant son appartement. Il venait de claquer la portière, quand une main s'abattit sur son épaule. Il se retourna vivement.

— Qu'est-ce que... ?

— Du calme, Beaulac, fit une voix rugueuse. Tu t'en es pas rendu compte, mais on t'a suivi jusqu'ici. Regarde la voiture, juste de l'autre côté de la rue.

Un homme, le chapeau rabattu sur les yeux, était au volant.

— Ce type est armé. S'il avait voulu, il te descendait facilement. Il a un silencieux. Ça aurait même pas fait de bruit. On t'aurait retrouvé demain matin... à moins que les boss aient décidé de faire disparaître ton cadavre.

— Des menaces ? murmura Michel, plus mort que vif.

— Non, un avertissement de monsieur Lionel. Il te fait dire de pas oublier les règles du milieu... La loi du silence. Compris ? T'es plus dans la police. T'as affaire à un groupe beaucoup mieux organisé. La loi du silence, oublie pas ça, Mike, c'est mieux pour toi, si tu veux pas faire un beau mort.

Et, en riant, l'homme traversa la rue, monta dans la voiture qui s'éloigna aussitôt. Michel poussa un soupir de soulagement.

« Torrieu ! Je suis mieux de me tenir les fesses serrées avec des p'tits copains comme ça. Je me suis fourré dans un maudit beau guêpier et j'ai bien l'impression que je vais avoir des gros problèmes pour m'en sortir. »

Le lendemain matin, il était à peine huit heures qu'il téléphonait au Manchot.

— Je ne vous réveille pas, patron ?

— Non, ça fait une heure que je suis debout. J'attends un appel de Nicole. J'ai téléphoné à Miami. On doit la localiser et elle va me rappeler d'ici quelques minutes. Je ne peux pas te parler longtemps. Il y a du nouveau ?

— Ce serait trop long à vous conter, surtout que vous attendez un appel. Si je me rendais à votre appartement ?

— Fais vite. Dans une demi-heure, je serai parti. Je ne veux pas être en retard à mon rendez-vous avec Bernier.

— Ce sera pas long.

Quinze minutes plus tard, Michel était à l'appartement de Robert Dumont.

— Nicole a rappelé ?

— Pas encore. Alors, que s'est-il passé ?

— Il est possible que je puisse obtenir le nom du type qui a placé la bombe dans la voiture de Valois.

Et il raconta sa rencontre avec monsieur Lionel.

— Vous le connaissez, ce type ?

— Non, répondit le Manchot. Lionel est sûrement un nom d'emprunt. Seuls ses intimes doivent connaître son nom véritable... Mais ce dénommé Peckroy qui arrive de Détroit, que sais-tu sur lui ?

— Absolument rien. Son nom seulement. Monsieur Lionel veut savoir si la police est au courant de son arrivée dans la métropole, si on possède quelque chose à son sujet.

Le Manchot pouvait facilement tirer les conclusions qui s'imposaient.

— Dans quelques jours, peut-être demain ou après-demain, tu entendras parler du meurtre d'un des chefs de la pègre. Quand on a un type important à éliminer, on fait venir un tueur à gages de l'étranger.

— Mais il faut empêcher ce crime! s'écria Michel.

Dumont haussa les épaules :

— De quelle façon! Nous ne pouvons pratiquement rien y faire. Vois-tu, dans la police, on a adopté une certaine règle. Quand la pègre décide de s'éliminer elle-même, on la laisse agir. Les types qui sont tués sont souvent de petits rois, de petits rois contre qui on ne peut rien prouver.

Le Manchot regarda sa montre d'un air inquiet.

— J'aurais bien aimé parler à Nicole, la mettre au courant des événements, savoir ce qui se passe à Miami. Mais, bien sûr, il faudrait qu'elle garde le silence concernant ce nouvel attentat contre Valois. Inutile de gâcher les vacances de Cécile.

— Écoutez, patron, je peux rester ici et attendre l'appel de Nicole. Ça devrait pas tarder.

— Oui, fais donc ça. Ensuite, tu fileras au bureau.

— Et vous allez tenter de m'obtenir des renseignements sur Peckroy? Si j'en rapporte à monsieur Lionel, il me dira peut-être qui a placé cette bombe. Une chose semble certaine, c'est pas un coup monté par la pègre.

Mais le Manchot fit un petit signe de la main droite.

— Ne te fie pas trop, Michel, on ne t'a sûrement pas tout dit. Tu as déjà oublié ce que les hommes t'ont enseigné hier soir ? La loi du silence, ça existe chez les petits comme chez les grands patrons.

Chapitre VII

SAUVETAGE

Nicole s'était réveillée très tôt : il était à peine six heures trente.

Elle avait bien cherché à se rendormir, mais déjà le soleil se levait. La journée s'annonçait chaude et claire. Aussi décida-t-elle de se lever, sans faire de bruit, afin de ne pas éveiller Cécile Valois qui dormait dans le lit voisin.

Après avoir enfilé son bikini, elle passa sa sortie de bain, prit une serviette et un livre et s'en alla à la plage.

Les baigneurs étaient rares à cette heure matinale. D'abord, Nicole trouva l'eau glacée.

Mais elle était excellente nageuse et lorsqu'elle se fut trempée complètement, l'eau lui parut moins froide.

Mais, de retour sur la plage, un frisson courut tout le long de son corps. S'emparant de la serviette, elle s'essuya, se frictionna pour se réchauffer puis, regardant autour d'elle, elle prit une décision.

Là, sur le toit du restaurant, il y avait de bons fauteuils et le soleil commençait à plomber à cet endroit. Elle alla donc s'y asseoir. Elle était seule, de sorte qu'elle put lire durant de longues minutes. À huit heures et demie, elle ferma son livre et se leva. Elle avait faim. « Et puis, il est temps que Cécile se lève. Cet après-midi, on veut faire le tour des magasins. Si elle veut se baigner ce matin... »

Elle se dirigeait vers leur cabine, lorsqu'elle croisa Cécile.

— Où étais-tu ? demanda celle-ci ; je te cherche partout depuis une heure.

— Sur la terrasse, sur le toit du restaurant. Je lisais.

— Tu as reçu un appel de Montréal. Robert Dumont veut que tu lui téléphones, chez lui.

Rapidement, Nicole s'élança vers la chambre. Cécile la suivait, mais avant qu'elle n'entre dans la pièce, Nicole se retourna.

— J'aimerais être seule. Robert et moi, nous

avons beaucoup de choses à nous dire. Tu as déjeuné ?

— Pas encore.

— Bon, je te retrouve dans la salle à manger.

Lorsque Cécile eut fermé la porte, Nicole appela rapidement à Montréal. Elle fut fort déçue de reconnaître la voix de Michel.

— Robert est pas là ?

— Non, monsieur Dumont avait un rendez-vous à neuf heures.

— J'aurais tant voulu lui parler. Oh, Michel, c'est merveilleux !

— Tu aimes Miami ?

— Oui et non... c'est pas ça. Tu le croiras pas si je te le dis... j'ai pas regardé un seul garçon depuis que je suis ici.

Beaulac éclata de rire.

— Menteuse !

— C'est la vérité. Je suis en amour Michel ; tu entends, je l'aime. Et on va s'épouser dès que je serai de retour à Montréal.

— Reste à savoir si lui, il t'aime, carabine !

— J'en suis certaine. Il me l'a prouvé. J'ai jamais été aussi heureuse de ma vie. Et tu verras, je ferai tout pour Robert. Il le mérite tellement.

Michel la ramena les deux pieds sur terre.

— Oublies-tu que tu es à Miami par devoir ? Tu dois surveiller Cécile Valois. Il y a un assassin au travail...

Et il lui raconta ce qui s'était passé la veille. Nicole l'écouta sans l'interrompre.

— Je ne sais pas ce que les Valois ont fait, mais une bande internationale semble vouloir les éliminer. Alors, tu fais mieux de surveiller la bonne femme.

— Parle donc comme du monde ! Cécile Valois est pas si vieille... elle prend passablement avec les hommes. Elle, elle profite de ses vacances.

— Surtout, va pas les gâcher. Dis-lui pas ce qui s'est passé à Montréal. Son mari est sain et sauf, c'est le principal. Mais augmente ta surveillance.

— Entendu. Tu sais à quelle heure Robert sera au bureau ?

— Pas du tout. Il va chez la police, ce matin. Ça peut être long.

— Dis-lui que j'essaierai de l'appeler à deux heures, exactement, au bureau. Je voudrais tellement entendre sa voix.

Michel ne put s'empêcher de sourire.

— Bon, je lui ferai le message.

Et après avoir raccroché, le jeune Beaulac semblait des plus heureux. « Je suis content pour eux. Nicole est plus jeune, mais elle fera une bonne épouse à monsieur Dumont. Et lui, je le vois pas vieillir tout seul. Il a toujours vécu seul et il en souffre. Torrieu que j'ai hâte que ce mariage se fasse, moi! Et dire qu'il y a une couple de mois, j'aurais pu être jaloux... »

Mais Michel avait bien changé depuis qu'il avait cessé de boire. Maintenant, il suivait les directives qu'on lui transmettait et il acceptait tout simplement les choses qu'il était incapable de changer. «Moi, le bonheur des autres, ça fait ma joie, c'est comme un rayon de soleil dans ma vie. Et crains rien, ma petite Nicole, pour toi, il y aura pas de loi du silence. Je lui dirai, à ton Robert, combien tu l'aimes et que tu peux pas te passer de lui. »

Et le jeune Beaulac décida de rentrer au bureau, où beaucoup de travail l'attendait. Avec une nouvelle secrétaire et l'absence du Manchot, il se sentait un homme important; il devenait le directeur par intérim et il aimait prendre des décisions.

*
* *

Nicole avait rejoint la jolie Cécile Valois dans la salle à manger du motel.

— Qu'est-ce qui se passe? demanda Cécile, légèrement inquiète.

— Oh! rien de spécial. Monsieur Dumont voulait simplement des nouvelles, savoir si tout va bien ici. Je l'ai rassuré.

Au cours du déjeuner, Cécile demanda:

— Tu vas nous accompagner, ce soir, Nicole ? Monsieur Morton veut nous amener au club et il m'a dit qu'il avait un gentil garçon à te présenter. Tu connais monsieur Morton...

Un peu perdue dans ses rêves, Nicole répondit :

— Non, ça m'intéresse pas, je préfère être seule.

Mais elle se reprit aussitôt :

— Je vais vous accompagner, mais seule. Je veux pas que ton monsieur Morton me présente un de ses amis.

Cécile Valois regarda longuement Nicole, hocha la tête, puis :

— Je te comprends pas, dit-elle. Jeune, libre, même pas fiancée... Oh ! tu vas me dire que tu te crois amoureuse ; mais est-ce que ça t'empêche de t'amuser ? Regarde-moi, je suis mariée, j'ai une grande fille... Mais j'ai décidé de profiter de mes vacances. Gérald Morton me plaît : je serais bien folle de pas accepter ses invitations. Et puis, peux-tu me dire pour quelle raison nous, les femmes, il faut toujours rester des êtres fidèles ? On a même pas le droit d'avoir des désirs. Les hommes, eux autres, font souvent des accrocs dans les contrats de mariage et nous, on doit passer l'éponge, on doit endurer sans rien dire. C'est fini, ce temps-là. Ma fille a raison, il faut que je commence à vivre au temps d'aujourd'hui.

Cécile hésita un moment avant de poursuivre.

— Si un soir... Enfin, si j'accepte l'invitation de Gérald d'aller prendre un verre dans son motel, tu t'en rendras compte, puisqu'on occupe la même chambre. Seras-tu obligée de tout dire ?

— Je dois faire mon rapport à mon patron sur toutes vos activités. Toutes.

— Donc, mon mari sera mis au courant ?

— Pas nécessairement. Un détective privé est tenu, tout comme un policier, au secret professionnel. Dis-moi franchement, Cécile : as-tu l'intention de tromper ton mari ?

— Je sais pas trop, répondit-elle après avoir réfléchi. Je voudrais lui rester fidèle... mais je voudrais goûter au fruit défendu.

— On a bien raison de dire que tout ce qui est pas permis est attirant.

— Je veux savoir si je suis une femme normale. Entre nous deux, je peux t'avouer ça, avec mon mari, je ressens pratiquement rien. Oh ! parfois, ça éclate ; mais pas souvent. Alors, malgré moi, avec un autre, je me demande si...

— Moi, à ta place, je jouerais pas avec l'amour. Ça peut mener trop loin. J'en sais quelque chose. C'est parce que j'ai trop faim d'aimer que je me tiens loin des hommes. Moi, je me pose pas de questions. Je suis tout ce qu'il y a de plus normale, peut-être même que je suis un brin nymphomane...

Brusquement, sentant qu'elle se confiait un peu trop, Nicole se leva.

— Tu as fini de déjeuner ? Si on veut profiter du soleil, on fait mieux de se dépêcher. Cet après-midi, on va dans les centres d'achats. Il paraît qu'il y en a un beau à Hallandale. C'est à peine à quelques milles de Miami Beach.

— Gérald a loué une voiture. Si je lui demande, il se fera un plaisir de venir nous conduire.

Les deux jeunes femmes se rendirent à la plage. Nicole s'étendit sur une chaise longue, tandis que Cécile Valois regardait autour d'elle.

— Il doit être encore couché, le paresseux. Tu viens te saucer ?

— Je me suis baignée tantôt. Je veux prendre du soleil. Je veux pas arriver à Montréal avec un visage pâle. Je veux que ça paraisse, que je suis venue dans le Sud.

— Je vais nager quelques minutes. Mademoiselle ma surveillante, vous pouvez me voir d'ici ?

— Va, je suis pas inquiète.

Cécile se dirigea vers la mer. Nicole ferma les yeux et laissa les rayons du soleil lui caresser la peau.

Combien de temps s'était écoulé ? Elle

n'aurait su le dire, car brusquement des cris la tirèrent de sa torpeur.

— Une personne qui se noie !

— Au secours !

Il y avait là plusieurs Québécois. La plupart des locataires du motel parlaient français. C'étaient, en majorité, des gens qui n'avaient guère le moyen de se payer des vacances. Mais, munis de cartes de crédit, ils avaient adopté la méthode trop répandue « Amusez-vous maintenant et payez... plus tard », avec les intérêts, évidemment.

Nicole se leva, cherchant Cécile des yeux. Elle ne la voyait pas.

Elle courut vers la mer.

— C'est une femme ! dit quelqu'un.

— Je l'ai vue agiter les bras et disparaître au fond de l'eau, ajouta un autre.

— Elle sait sûrement nager, autrement, elle ne se serait pas aventurée si loin.

Déjà, plusieurs nageurs se précipitaient vers l'endroit où l'inconnue avait disparu.

— On l'a retrouvée ! cria quelqu'un.

— Il y a un type qui l'a sauvée !

— On la ramène au bord !

Quelques instants plus tard, Nicole pouvait constater que la personne qui avait failli se noyer était nulle autre que Cécile Valois.

Un homme déclara, en anglais :

— C'est une amie, je l'ai vue se baigner au

large. J'allais la rejoindre quand elle s'est mise à crier. Heureusement que je n'étais pas loin.

Nicole se retourna et reconnut Gérald Morton, cet Américain qui avait fait la connaissance de Cécile Valois.

— Oh, miss Poulin, vous êtes là ? fit Gérald.

— Oui, j'étais tout près, je lui avais dit de ne pas aller trop loin.

On se préparait à donner la respiration artificielle à Cécile.

— Ce ne sera pas nécessaire, fit un homme, elle ouvre les yeux.

Et, se tournant vers Gérald, il ajouta en anglais :

— Vous avez opéré le sauvetage juste à temps.

Cécile reprenait conscience. Elle regardait autour d'elle. Soudain, elle se mit à crier.

— Laissez faire, je m'occupe d'elle, dit Nicole. C'est normal qu'elle soit en état de choc.

Elle l'aida à s'asseoir. Cécile Valois tremblait de tous ses membres. Gérald Morton voulait également prêter son concours.

— Heureusement que je vous ai entendue crier, fit-il en s'accroupissant devant les deux femmes.

Cécile saisit les mains de Nicole.

— C'est terrible, on a voulu me tuer ! hurla-t-elle.

— Quoi ?

— Je nageais, je me croyais seule, et soudain on m'a saisie par les jambes. On m'a entraînée vers le fond. C'était épouvantable. Je me suis débattue, j'ai remonté à la surface, j'ai pu crier.

Morton comprenait quelque peu le français, mais il le parlait très mal. Aussi répondait-il en anglais.

— J'ai entendu votre cri et j'ai répondu à pleine voix : « Tenez bon, j'arrive. » Mais je n'ai vu personne.

Nicole murmura :

— Un habile nageur peut nager entre deux eaux. Il a dû s'enfuir rapidement vers la rive et se mêler aux curieux qui arrivaient. Veux-tu que je fasse venir un médecin ? demanda-t-elle à Cécile.

— Non, non, je me sens mieux. J'ai des pilules pour les nerfs. Ça va passer.

Elle se leva et se jeta presque dans les bras de Gérald.

— Gérald, quittez-moi pas. Monsieur Dumont avait raison, on veut me tuer, on a cherché à m'assassiner.

— Je vous protégerai. L'assassin n'est pas chanceux. Hier votre mari et, ce matin, c'est votre tour. Deux coups manqués.

Nicole se retourna brusquement et ouvrit la

bouche pour parler. Mais elle se ressaisit juste à temps.

« Mais comment sait-il pour monsieur Valois ? songeait-elle. Qui le lui a dit ? Il faut que je prévienne Cécile. Il le faut. Ce Morton fait sûrement partie du groupe qui veut les tuer, elle et son mari.

Elle conduisit Cécile à son motel.

— Je vous en prie, monsieur Morton, laissez-nous. Pour le moment, elle doit se reposer.

— Et cet après-midi ?

— Il est trop tôt pour décider quoi que ce soit. On verra bien. À tout à l'heure.

Nicole poussa Cécile dans le motel et lui ordonna de se coucher. Puis, elle décrocha le téléphone.

— Qu'est-ce que tu fais ?

— Attends et tu vas comprendre.

Quelques minutes plus tard, elle était en communication avec le bureau du Manchot.

— Je sais que monsieur Dumont n'est pas là, mais voulez-vous me passer Michel ?

— Il vient tout juste de sortir. Un client important à rencontrer. Il ne pouvait attendre. Qui appelle ?

Nicole avait logé l'appel directement, sans passer par la téléphoniste. Aussi, sa remplaçante ignorait que ça venait de Miami. Elle ne voulait pas inquiéter inutilement Robert Dumont.

— Ce n'est pas important, je rappellerai.

Elle raccrocha, puis se tourna du côté de Cécile.

— J'en ai long à te conter. J'ai découvert une chose importante. Gérald Morton fait partie du groupe qui veut vous assassiner, toi et ton mari.

— Tu es folle, c'est impossible.

Nicole lui conta ce qui s'était passé la veille à Montréal.

— Personne n'en a parlé et Morton était au courant. Il a commis une erreur.

— Mon Dieu, qu'est-ce qu'on va faire?

Nicole réfléchissait.

— J'avais l'intention de prévenir mon patron. Mais, après tout, il faut que j'apprenne mon métier de détective. Fais-moi confiance. Je vais obtenir des renseignements sur ce Morton.

Elle fit promettre à Cécile de s'enfermer à double-tour et de ne pas bouger de sa cabine. Nicole alla ensuite relever le numéro de plaque de la voiture louée par Morton, puis elle appela la compagnie de location.

Malheureusement, on refusa de lui donner des détails personnels. Sans perdre de temps, Nicole eut recours à son carnet. Le Manchot lui avait en effet donné le nom d'un officier de police qu'il connaissait à Miami.

— Si jamais tu as besoin d'aide, appelle-le. Il se souviendra sûrement de moi.

Nicole réussit à rejoindre le lieutenant Fraser. Lui et le Manchot avaient mené plus d'une enquête ensemble.

— Que voulez-vous savoir, exactement ?

Elle ne voulut pas tout lui conter.

— Je voudrais certaines informations sur un monsieur Gérald Morton qui a loué une voiture. J'ai le nom de la compagnie, le numéro de plaque de la voiture. J'aimerais connaître l'adresse de ce monsieur Morton, savoir d'où il vient.

— Facile. Donnez-moi votre numéro de motel et je vous rappelle.

Tandis que Nicole parlait, Cécile s'était levée.

— J'ai besoin d'air. Je vais m'asseoir, mais juste devant la porte, je bougerai pas de là.

— J'attends l'appel et je te rejoins.

À peine cinq minutes plus tard, le téléphone sonnait.

— Mademoiselle Nicole Poulin ?

— C'est moi.

— J'appelle de la part du lieutenant Fraser.

Vous avez demandé un renseignement concernant un monsieur Morton?

— Oui.

— Ça semble important. Le lieutenant ne peut rien vous dire au téléphone. Pouvez-vous le rencontrer, à deux heures?

— Au poste de police?

— Non, il m'a donné une adresse. Si vous voulez la noter...

Nicole sortit son carnet de son sac. Elle écrivit l'adresse et ajouta, en dessous : « deux heures ».

Lorsqu'elle eut raccroché, elle déchira la feuille, la mit dans son sac et alla trouver Cécile.

— Cet après-midi, je veux que tu restes dans le motel et que tu n'ouvres à personne. Oublie pas qu'il y va de ta vie. J'ai quelqu'un à rencontrer et j'ai l'impression que cette personne va m'apprendre des choses fort intéressantes.

Cécile s'empressa de déclarer :

— Rien à craindre : je bougerai pas. Je comprends que c'est beaucoup plus sérieux que nous le pensions... mais tu crois que c'est Morton qui a voulu me tuer?

— J'en mettrais ma main au feu. Quand il t'a entendue crier, il savait que des baigneurs viendraient. Alors, il a fait semblant de te sauver. Il a pris le beau rôle. Mais moi, je vais le démasquer.

Et elle ajouta avec un sourire triomphant :

— Robert Dumont va être fier de sa future femme.

Chapitre VIII

UN VOYAGE ÉCLAIR

Le Manchot se leva et se mit à arpenter de long en large ce bureau qu'il connaissait bien, ce bureau où il avait travaillé durant des années.

Assis sur un banc, Valois paraissait plus calme que le détective.

— Dix heures cinq! grogna le Manchot. Bernier sait-il que nous sommes là? Se souvient-il qu'il nous a donné rendez-vous à neuf heures?

Le policier, préposé à l'information, déclara :

— Ça fait deux fois que je le lui dis. La

première fois, il m'a ordonné de vous faire attendre.

— Et la seconde fois?

Le policier hésita.

— Oh, vous pouvez tout me dire, vous savez. De Bernier, rien ne me surprend plus.

— Il m'a dit qu'il avait bien d'autres choses à faire, que les causes des petits détectives privés, ça pouvait attendre.

Le Manchot fit le tour de la table.

— Eh! qu'est-ce que vous faites?

Dumont se rappelait parfaitement le fonctionnement de l'appareil qui se trouvait sur le bureau. Il appuya sur un bouton.

— Oui, qu'est-ce que c'est encore? hurla la voix de l'inspecteur Bernier. Je ne veux pas être dérangé.

— C'est moi, Dumont! J'ai assez perdu de temps avec vous. Valois et moi, on s'en va!

— Si vous sortez du bureau, je fais lever un mandat contre vous, Manchot!

— Faites-le. Moi, je n'attends pas un instant de plus. Vous m'avez écœuré pendant des années, vous n'êtes pas pour continuer, maintenant que je ne suis plus sous vos ordres.

Le Manchot fit le tour de la table.

— Venez, Valois.

Juste à ce moment, la porte du bureau de Bernier s'ouvrit et l'inspecteur parut.

— Quelle impatience ! J'allais justement vous faire entrer, tous les deux.

Bernier paraissait beaucoup plus détendu à présent. Il fit passer les deux hommes dans son bureau.

— Comment vous sentez-vous, ce matin, monsieur Valois ?

— Mieux qu'hier. Mais quand je songe à ce qui s'est passé...

— Tout ça aurait pu être évité, si votre ami le Manchot avait fait son devoir.

Dumont bondit :

— Comment ça, mon devoir ?

— Votre devoir était de prévenir la police officielle. Nous aurions facilement retracé ce maniaque. Nous aurions enregistré les conversations...

— Je l'ai fait et ça n'a rien donné.

— Nous aurions placé plusieurs hommes autour de votre maison, autour de l'usine, jamais on n'aurait pu s'approcher de votre voiture.

Le Manchot répliqua aussitôt :

— Je vais vous dire, moi, ce qui se serait passé si j'avais appelé les policiers. On se serait moqué de moi, on m'aurait dit de me débrouiller avec une simple affaire d'appels de la part d'un maniaque. Je les connais bien.

Puis, se tournant vers Bernier, il ajouta :

— Si vous m'avez fait venir ici pour me

lancer votre venin, si ça vous amuse de jeter le blâme sur mes épaules, allez-y. Mais moi, je ne vous écouterai pas plus longtemps.

Dumont allait sortir, lorsque Bernier déclara :

— Ça ne vous intéresse pas de connaître les résultats des analyses du laboratoire ? C'est ce que j'attendais avant de vous recevoir.

— Qu'est-ce qu'ils ont dit ?

— Un travail d'expert. En tournant la clef de contact, en mettant le moteur en marche, ça faisait exploser la charge de dynamite. Vous n'aviez aucune chance de vous en tirer, Valois. Ça aurait pu faire sauter un camion.

Et Bernier demanda des détails concernant la voiture. Il voulait savoir à quelle heure Valois était arrivé à son travail et si l'endroit était achalandé.

— Pas du tout, fit Valois, il y a personne dans ce coin. Les criminels ont eu tout le temps voulu pour poser leur engin.

Dumont demanda :

— Pensez-vous pouvoir retracer les auteurs de l'attentat ?

— Nous les découvrirons tôt ou tard.

— Je veux savoir si ce dont on s'est servi vous met sur une piste quelconque. Ceux qui posent des bombes comme celle-là ont chacun leur méthode.

— J'ai des hommes qui fouillent les dossiers... des dossiers confidentiels, Dumont.

Sans avoir l'air d'y attacher d'importance, le Manchot demanda :

— Avez-vous consulté celui de Jos Peckroy ?

— Jos Peckroy ?

— Oui, un Américain qui est un expert dans ce genre d'affaires. Mais j'ignore s'il est présentement au Canada.

Aussitôt, Bernier décrocha son récepteur et demanda des renseignements sur le nommé Jos Peckroy.

Au bout de quelques minutes, il recevait la réponse.

Après avoir raccroché, il se tourna vers Dumont.

— Qu'est-ce que c'est ? Une autre blague du Manchot, je suppose ?

— Comment ça ?

— Nous n'avons aucun dossier concernant Jos Peckroy. Aucun Américain portant ce nom n'est entré au pays au cours des dernières heures. Je crois que vous aimez nous faire perdre notre temps, n'est-ce pas Dumont ?

— Pas du tout. Il est possible que je me sois trompé de nom. Après tout, je n'ai pas une mémoire infaillible comme la vôtre.

Bernier entreprit ensuite de questionner Valois. Il lui parla de Goulet. Il voulait savoir si les deux hommes s'entendaient bien, s'ils s'étaient déjà querellés.

— Inspecteur, soyez logique, fit le Manchot. Valois ne pouvait pas savoir que, cette nuit-là, Goulet aurait besoin de sa voiture.

— Donc, on en revient à ces appels anonymes. L'assassin s'est trompé de victime. Puisque vous avez fait enregistrer les appels, Dumont, il me les faut.

— Je regrette, inspecteur, mais sitôt que j'ai eu décidé d'enregistrer, l'homme n'a pas rappelé. Demandez à monsieur Valois.

— Il dit la vérité.

— Tout ce qu'on entend sur ces enregistrements, c'est la voix de la fille de monsieur Valois qui cause avec des amis.

— J'en veux quand même une copie, fit brusquement l'inspecteur.

Il ajouta, d'un ton grinçant :

— Je l'exige.

— Bon, quand j'aurai un moment, je vous en ferai une copie. Maintenant que vous avez interrogé Valois, maintenant que vous savez le rôle que j'ai eu à jouer dans cette affaire, avez-vous encore besoin de nous ?

Bernier ricana.

— Un rôle que vous avez fort mal rempli. Non, je ne vous retiens pas, vous pouvez partir. Et vous, Valois, continuez de faire confiance au Manchot, il vous protégera. Vous avez vu le résultat ? Tout ce qu'il a réussi, c'est à vous arracher quelques dollars.

Les deux hommes sortirent du bureau de Bernier et Dumont alla reconduire Valois chez lui.

— Croyez-vous que le criminel va recommencer ?

— Pas immédiatement. Quand un tueur rate son coup, il réfléchit, il se prépare pour ne pas commettre une erreur semblable. Mais soyez sur vos gardes. Mon enquête continue, Valois et j'aurai peut-être des surprises pour vous.

— Vous soupçonnez quelqu'un ?

Il n'osa pas lui parler de sa fille et de ses amis.

— Je vous tiendrai au courant, dès qu'il y aura du nouveau.

Le Manchot revint enfin à son bureau où la secrétaire lui apprit que Michel avait dû s'absenter pour rencontrer un client important.

— Une femme qui semble vous connaître a téléphoné, beaucoup plus tôt, elle doit rappeler.

Le détective décida d'aller manger immédiatement. Il revint au bureau vers une heure trente.

— Vous pouvez aller manger, mademoiselle.

— L'inspecteur Fraser de Miami vous a téléphoné. Il veut que vous le rappeliez à ce numéro.

— Merci.

Le Manchot s'enferma dans son bureau et, quelques instants plus tard, il avait son ami au bout du fil.

Après avoir causé quelques secondes, Fraser demanda :

— Mademoiselle Nicole Poulin travaille pour toi ?

— Oui, pourquoi ?

— Elle m'a téléphoné. Elle voulait des renseignements sur un Américain, un monsieur Gérald Morton qui a loué une voiture d'occasion. Ce type serait au même motel qu'elle. Je viens de parler avec une dame Valois.

— Et puis ?

— Mademoiselle Poulin est sortie, elle est allée rencontrer quelqu'un. Madame Valois m'a dit que Nicole, c'est comme ça qu'elle s'appelle, croyait que ce Gérald Morton était un assassin.

— Qu'est-ce que tu racontes là ?

— La vérité. Mais il y a sûrement une erreur quelque part. Le type qui a loué la voiture ne s'appelle pas du tout Gérald Morton et il vient de Montréal. J'ai tous les renseignements ici.

Le Manchot conclut :

— Je vais demander à Nicole de me rappeler et si j'ai besoin de détails, je communiquerai avec toi.

Robert Dumont raccrocha.

— Qu'est-ce que c'est que cette nouvelle affaire ? Qui est ce Gérald Morton ? Ce nom-là ne me dit rien du tout.

Il appela à Miami, au motel où logeait Nicole, et demanda à lui parler personnellement. Comme elle était absente, il demanda qu'elle rappelle dès qu'elle entrerait.

Le Manchot raccrocha. Il était nerveux. C'était toujours sa réaction quand il ne pouvait avancer qu'à tâtons dans une affaire ténébreuse. Soudain, ses yeux se posèrent sur la bande magnétique enregistrée chez les Valois.

— En attendant, aussi bien en faire une copie tout de suite pour Bernier. Il peut l'envoyer chercher presque immédiatement, simplement pour me causer des embêtements.

Il dut installer deux appareils. Heureusement, il n'y avait que très peu de matériel sur la bobine. Dumont l'écoutait d'une oreille distraite.

Soudain, il sursauta et arrêta la machine, puis la mit en marche arrière.

De nouveau, nerveusement, il décrocha le téléphone et appela à Miami. Cette fois, il demanda qu'on laisse sonner dans le motel où logeaient Nicole et Cécile Valois.

On décrocha presque immédiatement.

— Allô ?

— Madame Valois, ici Robert Dumont, est-ce que Nicole est là ?

— Non, mais elle devrait pas tarder. Elle est partie depuis une heure. Elle avait un rendez-vous, je sais pas avec qui. Elle m'a dit qu'elle était pour vous surprendre, que vous seriez fier d'elle. Mais, après ce qui s'est passé ce matin... j'ai peur, j'ai très peur.

Et elle raconta à Dumont l'attaque dont elle avait été victime, puis elle lui parla de Gérald Morton.

— Cet homme a parlé de ce qui s'est passé hier soir, à Montréal. Il pouvait pas être au courant. Nicole est persuadée que c'est lui qui a voulu me tuer.

Dumont demanda :

— Vous avez fait la connaissance de ce monsieur Morton à Miami ?

— Oui, dès notre arrivée. Il était assis à la table voisine, lors de notre premier repas. On a bavardé. Vous comprenez, mademoiselle Poulin est plus jeune que moi et ce type a quand même un certain âge, alors il est normal...

— Qu'il se soit intéressé à vous. Je comprends, madame.

— Voulez-vous que je demande à Nicole de vous téléphoner, aussitôt qu'elle arrivera ?

— Oui, s'il vous plaît.

Mais, après avoir raccroché, le Manchot décida qu'il n'avait pas le temps d'attendre cet appel.

Il téléphona immédiatement à un ami qui avait un petit avion à Saint-Hubert.

— Je dois me rendre à Miami, et au plus tôt. Vous pouvez m'y conduire? Je suis prêt à payer ce que ça vaudra.

— Disons dans une heure environ, le temps de faire préparer l'appareil, de rejoindre un pilote.

— Entendu.

— Vous serez seul, Dumont?

Le détective réfléchit, puis :

— Possible que nous soyons deux, je ne le sais pas encore.

Le Manchot raccrocha et alla trouver sa secrétaire.

— Essayez de retracer Michel, servez-vous de l'appareil radio s'il le faut.

— Bien, monsieur.

— Si vous le rejoignez, qu'il me retrouve à l'aéroport de Saint-Hubert dans moins d'une heure. Je serai absent peut-être deux, trois jours, je l'ignore.

Et le Manchot se dirigea immédiatement vers son appartement, prépara rapidement une valise, puis fila en direction de l'aéroport de Saint-Hubert.

Lorsqu'il y arriva, son appareil était prêt à s'envoler.

— Vous êtes seul?

— Oui. À quelle heure arriverons-nous à Miami ?

— Dans trois heures quinze environ.

Le Manchot prit le nom du petit aéroport où devait atterrir l'appareil et téléphona au bureau de son ami, le lieutenant Fraser.

— J'aurai sans doute besoin de toi, une fois là-bas. J'ai l'impression que tu pourras opérer une arrestation.

— Entendu, une voiture sera à l'aéroport et t'attendra. Elle te conduira au motel. Moi, je serai à mon bureau. Tu pourras m'y rejoindre. Je ne partirai pas avant huit heures, ce soir. Ensuite, je serai chez moi. On te donnera le numéro.

Le Manchot raccrocha, sortit de la bâtisse et se dirigea vers la piste où déjà les deux moteurs de l'appareil grondaient.

— Hé, attendez-moi ! Attendez !

Le détective se retourna. Agitant les deux bras pour attirer l'attention, Michel arrivait en courant. Lorsqu'il atteignit l'appareil, il était tellement essoufflé qu'il avait peine à parler.

— Qu'est-ce qui se passe ?

— Nous partons pour Miami. Monte, je te raconterai tout en cours de route.

— Une seconde... avez-vous eu des renseignements concernant Peckroy ? Monsieur Lionel a téléphoné au bureau pour me parler. Il voulait sûrement savoir si j'avais les renseignements.

Le Manchot regarda sa montre.

— Fais vite, va l'appeler tout de suite. La police ne sait rien sur Peckroy, elle n'a pas de dossier et on n'est pas au courant qu'un Américain portant ce nom soit arrivé à Montréal.

— Je me dépêche. Où est le téléphone ?

— La bâtisse, là, à ta droite.

Michel reprit sa course. Lorsqu'il revint, le Manchot était déjà installé.

— Torrieu ! c'est la première fois que je pars si rapidement en voyage. Pas de vêtements de rechange, même pas un costume de bain.

— On ne va pas là pour se baigner. Nous ne sommes pas en vacances. Nicole a fait du bon travail.

Déjà, le petit appareil était en plein vol.

— Qu'est-ce qui se passe ? Pourquoi ce voyage ?

— Avant de te répondre... tu te souviens du rapport que tu m'as fait ce matin ? Tu avais pris des notes, tu m'as conté tout, en détail. Tu m'as parlé de monsieur Lionel, de Peckroy, tu as également donné des prénoms...

— Oui, je me souviens.

Les deux hommes devaient s'égosiller car dans ces petits appareils, ce n'était pas aussi silencieux que dans un 747.

Michel fit son rapport en entier, suivant dans son calepin les notes qui y étaient inscrites.

— C'est bien ce que je pensais, fit sombrement le Manchot.

— Mais allez-vous m'expliquer...

— Plus tard. Avec tout ce tapage, tu ne comprendrais pas. Nous profiterons plutôt des trente minutes de voiture qu'il faudra faire avant d'arriver au motel.

Et le Manchot ajouta, mystérieusement :

— Curieux, n'est-ce pas ? Une histoire d'appels anonymes, des tentatives de meurtres, une mort accidentelle... Le tout se passe à Montréal, et ça va peut-être se terminer à Miami.

Chapitre IX

COUP DUR

Le Manchot et son assistant étaient confortablement installés dans la voiture du service de la police de Miami. On était en train de traverser la ville.

Robert Dumont confia ce qu'il savait à son assistant.

— Maintenant, Michel, ne va pas commettre d'impairs. Je ne suis pas sûr de moi du tout. Nicole pourra peut-être m'éclairer définitivement.

Le taxi venait d'emprunter la rue Collins, cette immense artère où les hôtels et les motels forment une chaîne, collés les uns sur les autres.

— C'est la rue où il y a le plus de motels et d'hôtels au monde. C'est la première fois que tu viens à Miami ?

— Oui, répondit Michel.

Bientôt, on entra dans Miami Beach.

— Tu vois, la mer est là, à droite. Chaque motel a sa plage. Si tu es de ce côté-là de la rue, tu es à la mer. Tu traverses la rue et tu te retrouves en pleine ville. Restaurants, centres d'achats, ça ne manque pas.

— J'aimerais passer des vacances ici. Mais ça doit coûter les yeux de la tête.

Le Manchot le corrigea :

— Pas tant que ça. Les motels ne coûtent pas plus cher qu'ailleurs, surtout si tu n'es pas en pleine saison touristique. Quant aux achats, les prix sont les mêmes qu'à Montréal ou presque, à l'exception des restaurants.

— La nourriture est plus chère, je suppose ?

— Au contraire. Tu manges très bien pour moins de dix dollars. Il y a des restaurants spécialisés, non loin des grands centres de villégiature ; on y sert des buffets à des prix plus que raisonnables.

— Nous approchons, fit le policier-conducteur.

— Tout un motel, ici. Regardez donc les décorations, des deux côtés de la rue.

— C'est le Castaway, un des plus gros motels

de Miami Beach. C'est dans ce coin-ci que tu trouveras le plus de Québécois. Tu n'as qu'à te promener sur la rue et tu entends parler français partout.

La voiture s'engagea dans une entrée entre deux motels.

— Vous voici arrivés, messieurs. Je dois vous attendre ?

— Qu'a dit le lieutenant Fraser ?

— De me mettre à votre disposition.

— Eh bien, dans ce cas, attendez quelques minutes, j'aurai peut-être besoin de vous.

Déjà, le soleil commençait à disparaître dans le ciel bleu de Miami. La plupart des touristes quittaient leur motel pour aller prendre le repas dans un des nombreux restaurants de la ville.

Le Manchot alla frapper à la porte de l'unité que Nicole partageait avec Cécile Valois. Personne ne répondit, mais Michel crut voir bouger le rideau.

— D'après moi, il y a quelqu'un, dit-il.

Dumont frappa à nouveau dans la porte en disant :

— Madame Valois, c'est moi, Robert Dumont, le Manchot. Ouvrez-moi !

Quelques instants plus tard, la porte s'ouvrait. Les deux hommes entrèrent.

— Vous, à Miami ? Comment se fait-il ?

— Nicole n'est pas là ? fit brusquement le Manchot, sans répondre à la question.

— Non. Elle est allée à son rendez-vous, mais elle a pas voulu me dire à quel endroit ni avec qui elle avait rendez-vous.

Le Manchot murmura :

— Ça me surprend, ce départ subit. Elle devait attendre l'appel du lieutenant Fraser.

Cécile Valois expliqua :

— Elle a reçu un appel, j'étais assise à la porte. Je sais pas qui l'a appelée. C'est à la suite de cet appel qu'elle m'a dit qu'elle devait s'absenter, cet après-midi.

Michel, l'éternel fureteur, regardait autour de lui. Il s'approcha de la petite table qui séparait les deux lits et sur laquelle reposait l'appareil de téléphone.

— Le lit de droite, c'est celui de Nicole n'est-ce pas ? demanda-t-il.

— Oui.

— Pourquoi demandes-tu ça, Michel ?

Le jeune homme prit une petite tablette qui se trouvait sur la table de chevet.

— Je crois que cette tablette appartient à Nicole. Mais si elle a noté quelque chose, elle a enlevé la feuille.

— Montre.

Le Manchot examina la tablette. Pendant ce temps, Cécile lui avouait :

— Vous êtes un homme chanceux, monsieur Dumont. Cette petite vous aime tellement qu'elle regarde même pas les autres hommes.

Elle parle rien que de son prochain mariage. Elle vous fera une épouse extraordinaire.

— Tu as une allumette, Michel ? demanda le Manchot. Une allumette de bois, si possible.

— Attendez, j'en ai dans mon sac.

Madame Valois sortit une petite boîte de carton contenant des allumettes.

— J'ai pris ça dans un restaurant.

Le Manchot fit flamber une allumette, puis l'éteignit au bout de quelques secondes. Ensuite, il passa le bout charbonné sur la première feuille blanche du carnet.

— Tiens, regarde, Michel. En écrivant, Nicole a appuyé sur son stylo ; ç'a laissé une trace sur la feuille suivante...

Déjà, les mots commençaient à paraître.

— Frase... Ce doit être Fraser... une adresse, 2... non, c'est un h. Fraser, 2 heures.

Michel s'écria :

— Mais elle pouvait pas avoir rendez-vous avec Fraser, puisqu'il a tenté de la rejoindre à son motel et qu'elle était partie.

Non sans difficulté, le Manchot put déchiffrer l'adresse.

— Vous, madame Valois, ne bougez pas d'ici. Je vous conseille de ne pas ouvrir.

— Dites donc, je commence à avoir faim, moi.

— Vous aurez tout le temps voulu pour manger, plus tard.

Robert Dumont avait recopié l'adresse. Il se dirigea rapidement vers la voiture du policier.

— Tenez, vous connaissez cet endroit?

— Oui, c'est dans Miami même, pas très loin de la piste de courses de chiens.

— Allons-y tout de suite.

La voiture se mit en marche.

— Vous avez une sirène sur cette voiture?

— Oui, mais on ne doit l'employer que dans les cas d'extrême urgence.

— Eh bien! cria Robert Dumont, c'est un cas d'urgence. Si vous avez des ennuis, j'arrangerai ça avec Fraser.

— Comme vous voudrez.

Le bruit strident de la sirène se fit entendre et les voitures s'écartèrent pour laisser passer l'auto de la police.

— Nous approchons?

— Ce ne sera pas très long, dit le chauffeur. À cette heure-ci, la circulation est dense, vous savez. Plusieurs se rendent aux spectacles, d'autres aux courses. Ce n'est pas un hélicoptère que je conduis.

Les places pour stationner étaient aussi rares à Miami qu'à Montréal. Mais le policier mit son signal clignotant et s'arrêta en double file.

— Le 418, c'est là.

C'était une vieille maison. On y louait des appartements d'une ou deux pièces.

Nicole avait écrit : « 418 — #3 ».

Suivi de Michel, le Manchot enfila un corridor. Il n'y avait que quatre appartements au niveau de la rue. Le numéro 3 était à droite. Sans hésiter une seconde, le Manchot ouvrit la porte.

Michel, derrière, ne pouvait voir à l'intérieur. Le Manchot, immobile, bouchait toute l'ouverture. Soudain, il poussa un cri terrible.

— Non !

Et, comme un fou, il s'élança dans la pièce. Michel, qui suivait de près, aperçut tout de suite une mare de sang sur le vieux tapis de la chambre.

Robert Dumont s'était jeté sur le lit.

— Non, non, c'est pas vrai ! Ça ne se peut pas ! Je ne veux pas ! Je ne veux pas !

— Boss !

Le Manchot tenait le corps inanimé de Nicole dans ses bras. Il la serrait contre lui et continuait de crier.

— Pourquoi ? Pourquoi elle ?

Et soudain, des soubresauts se mirent à secouer ses larges épaules : le Manchot pleurait comme un enfant. Michel, le visage livide, ne savait que faire.

— Que se passe-t-il ? fit le policier, qui avait suivi les deux hommes. Michel se retourna. Il dut avaler à plusieurs reprises avant de retrouver la salive nécessaire pour murmurer.

— Appelez la police... Le lieutenant Fraser.

Le policier s'éloigna aussitôt. Michel fit quelques pas en avant. Il mit sa main sur l'épaule du Manchot.

— Patron !

Robert Dumont leva la tête, tenant toujours Nicole dans ses bras. Il regarda Michel. Ses yeux étaient fixes, son regard perdu, sa bouche entrouverte. Des larmes coulaient sur ses joues. Il tremblait des pieds à la tête et son tremblement se communiquait au cadavre de la jolie secrétaire.

Michel se força enfin à réagir. Il gifla le Manchot de toutes ses forces, à deux reprises.

— C'est assez ! Laissez-la.

Robert Dumont laissa retomber le corps de Nicole sur le lit et, pour la première fois, son collaborateur put voir celle que le Manchot considérait déjà comme sa fiancée.

Non seulement elle portait une marque très rouge à la gorge, mais on l'avait poignardée à plusieurs reprises. Son visage était violacé. L'assassin avait frappé Nicole, puis il avait achevé son travail en l'étranglant.

— Prenez sur vous, monsieur Dumont. Si vous saviez comme je vous comprends. Nous arrêterons les coupables. Ils seront punis.

Le Manchot était immobile, les dents serrées, la figure dure. Jamais Michel n'avait vu une telle expression dans son regard : c'était un regard d'assassin, cela donnait le frisson.

Subitement, repoussant brusquement Michel, le Manchot s'élança vers la porte.

— Ils vont payer ! rugit-il. Les écœurants ! Je vais les tuer ! Je vais tous les descendre !

Dans un dernier effort, Michel voulut lui barrer la route, l'empêcher de sortir. Mal lui en prit car il reçut une droite en plein front et tomba étourdi.

Déjà, criant comme un fou, le Manchot avait enfilé le corridor. Michel se releva, se secouant rapidement la tête pour chasser l'étourdissement.

— Je peux pas y croire, murmura-t-il.

Il regarda autour de lui et, ne voyant plus le Manchot, il s'élança dans le corridor et sortit brusquement dans la rue.

Le policier était debout, près de sa voiture, soutenant un homme d'une quarantaine d'années qui saignait du nez.

— Qu'est-ce qui lui arrive ? demanda-t-il, l'air effaré, en voyant apparaître Michel.

— Où est-il ?

— Votre ami est devenu fou, fit le policier. Il a arrêté un taxi en se jetant devant lui. Il aurait pu se faire tuer. Le conducteur est descendu, votre ami l'a frappé et s'est sauvé avec la voiture.

— Un fou ! Un sauvage ! cria le chauffeur de taxi dont le nez continuait de saigner.

Michel reprenait son sang-froid, peu à peu.

— Vous avez prévenu le lieutenant ?

— Oui.

— Passez-moi votre voiture. Il doit y avoir un téléphone à l'intérieur. Qu'on m'arrête pas, torrieu ! Il faut que j'arrive avant lui.

Et sans plus attendre, Michel s'installa au volant, démarra en trombe, faisant clignoter toutes les lumières installées sur la voiture et actionnant la sirène.

— Un taxi... ce doit être lui... Torrieu ! Avec ma sirène, je lui ouvre la route.

Mais rien ne pouvait arrêter Michel. Il n'arrivait pas à doubler le taxi du Manchot, car la circulation était trop dense.

Soudain, il aperçut un dégagement à droite, en bordure du trottoir où aucune voiture n'était stationnée. Il y avait bien quelques passants, mais il fallait risquer le tout pour le tout. Se rangeant à droite, il fit monter deux roues sur le trottoir et doubla le taxi du Manchot. Sans ralentir, le jeune homme fonçait en direction du motel, mais le Manchot suivait de très près.

Lorsque la voiture de Michel s'engagea sur le terrain de stationnement du motel, l'assistant du Manchot calcula qu'il avait mis deux fois moins de temps au retour qu'à l'aller, pour franchir la distance, séparant le motel de la maison de chambres.

134

Quelques secondes plus tard, le taxi, conduit par le Manchot, arrivait en trombe. Michel était déjà descendu de voiture.

— Boss, vous allez vous calmer.

Michel tenait la portière à deux mains, dans l'intention d'empêcher Dumont de sortir.

— Ôte-toi de là !

— Jamais de la vie ! Vous allez faire une bêtise.

Brusquement, le Manchot porta la main à sa ceinture et dégaina l'énorme Colt automatique qui ne le quittait pour ainsi dire jamais.

— Je te préviens, si tu ne t'enlèves pas, je tire, fit-il d'une voix étouffée, en poussant durement son arme dans le ventre de son assistant.

Michel voyait bien qu'il était sérieux.

Il laissa donc descendre le Manchot et, comme ce dernier se dirigeait vers la cabine que Nicole avait partagée avec Cécile, Michel le rejoignit, lui saisit violemment le poignet et lui fit échapper son arme.

— Maintenant, c'est vous qui allez m'obéir.

Le Manchot voulut frapper son adjoint, mais ce dernier s'y attendait et il évita le coup.

— Comprenez-moi donc ! Un meurtre en réparera jamais un autre.

Mais déjà, le Manchot ne l'écoutait plus. Il s'était détourné et il fonçait comme un taureau vers le motel.

Michel poussa un soupir de soulagement : au moins, il n'était pas armé.

Le Manchot frappa à grands coups dans la porte.

— Ouvrez vite ! c'est moi, Robert Dumont.

La porte s'ouvrit. D'une terrible gifle, le Manchot envoya rouler Cécile sur le lit.

Elle avait poussé un cri atroce. Mais c'était trop tard, déjà le Manchot était sur elle, grimaçant et livide, les traits convulsés par la colère. Elle ne criait plus, elle était comme stupéfiée, congelée par une terreur inhumaine, au-delà de la peur, car le Manchot avait saisi sa chevelure dans l'étau de sa prothèse qui se resserrait... Et l'homme, ce colosse déchaîné, la soulevait puissamment du lit par les cheveux, la secouant comme un vulgaire oreiller, tandis que de son poing droit il lui martelait le visage en grognant des mots incompréhensibles, des phrases inarticulées qui ressemblaient davantage aux rugissements furieux d'un fauve blessé. Il frappa trois fois, puis une quatrième dans ce visage ensanglanté d'où giclaient des gouttelettes qui éclaboussaient le mur à la tête du lit.

— Lâchez-la, calvaire ! hurla Michel. Lâchez-la tout de suite !

Mais le Manchot n'entendait rien. Michel n'avait plus qu'une chose à faire, il le savait bien, il le sentait jusque dans ses mains tandis qu'il sortait son revolver de son étui au creux de ses reins. Avec la crosse, il frappa à toute volée le Manchot derrière la tête. « Excusez-moi, boss, mais j'étais obligé », crut-il penser tandis que Robert Dumont s'écroulait à côté du lit.

*

* *

Tout s'était passé très rapidement. Les policiers, prévenus par le lieutenant Fraser, étaient arrivés en grand nombre au motel.

On avait fait venir un médecin pour s'occuper de Cécile Valois et de Robert Dumont. La blessure de celui-ci n'était pas grave mais, lorsque Michel lui eut expliqué la situation, le médecin décida de donner une injection au Manchot.

— Ça va le faire dormir, ça va le calmer.

On l'avait étendu sur un des lits. Sur l'autre reposait Cécile, qu'on s'occupait à panser et qui reprenait lentement conscience.

Un des policiers voulait absolument arrêter le Manchot.

— Il a frappé un chauffeur de taxi, il a volé sa voiture.

— Toi, le niaiseux, tu vas savoir comment je m'appelle, puis en français à part de ça, fit Michel, exaspéré.

Le policier n'avait évidemment rien compris et Michel s'adressa à lui en anglais, en essayant de garder son calme.

— Cet homme vient de découvrir la femme qu'il aime, morte, assassinée. C'est un ancien policier, un ami du lieutenant Fraser. Il a volé un taxi pour venir ici. La voiture est là. Même s'il a filé comme un fou, elle n'est pas abîmée... Et arrête de faire du zèle !

Heureusement, un officier de police venait d'arriver. Il avait pu communiquer, par radio, avec le lieutenant Fraser.

— Où est Robert Dumont ?

— Il est inconscient, fit Michel en désignant le Manchot, et il va dormir pendant quelques minutes encore. Le médecin lui a donné un calmant.

L'officier demanda à Michel de raconter ce qui s'était passé.

— Mais pourquoi monsieur Dumont est-il revenu ici en vitesse ? Pourquoi a-t-il frappé cette femme ?

Michel expliqua :

— Moi, j'ai cru qu'il venait ici dans le but de retrouver le nommé Gérald Morton. Je l'ai même précédé au motel. Quand il a frappé à la porte de cette chambre, j'aurais jamais cru qu'il s'attaquerait à la femme. Si vous voulez mon opinion, il était devenu fou. Il m'a même menacé avec son arme. Il aurait frappé n'importe qui.

— Le lieutenant Fraser va nous rejoindre ici. Nous allons tenter de débrouiller cette affaire. Qui est cette femme qui a été tuée?

— Robert Dumont, l'homme qui est étendu là, est un ex-policier devenu détective privé, répéta patiemment Michel. Moi, je suis son assistant et la fille qui a été tuée, Nicole Poulin, était la secrétaire de l'agence. Mais en plus, elle et mon patron s'adoraient et ils avaient décidé de s'épouser.

— Oh! Je commence à comprendre...

Une dizaine de minutes plus tard, le lieutenant Fraser arrivait au motel.

— Les membres de l'escouade des homicides s'occupent du corps de votre amie. Vous savez qui l'a tuée? demanda-t-il à Michel.

— Non, mais je crois que ce Morton, Gérald Morton, a sûrement quelque chose à y voir.

On questionna longuement Cécile Valois, qui avait repris conscience en hurlant et à qui il avait fallu administrer un calmant.

— Vous avez connu ce Morton ici?

— Oui, il disait venir de New York, prononça-t-elle péniblement de ses lèvres tuméfiées. Mais, il y a une chose que j'ai pas compris. Sans qu'on lui en parle, il savait que mon mari avait failli être tué, la veille, à

Montréal. C'est ce que Nicole avait trouvé curieux. Elle a communiqué avec vous, lieutenant.

— Oui, me demandant d'identifier l'homme qui avait loué une voiture. Mais c'était un faux nom, ou encore elle s'est trompée de voiture. L'automobile louée l'a été par un monsieur Gérard Rodain de Montréal. Il s'est servi d'une carte de crédit.

— C'est probablement le même homme, fit Michel.

Cécile Valois donna une description de Gérald Morton, alias Gérard Rodain.

— Si le meurtre a été commis aux environs de deux heures, un avion quittait l'aéroport de Miami à trois heures, ou à peu près. Cet appareil est déjà rendu à Montréal.

À tout hasard, Fraser lança un avis de recherche.

— Pourquoi? Pourquoi s'est-il attaqué si durement à cette femme? C'est ce que je ne m'explique pas, murmura Fraser.

— Moi, j'attribue ça à sa folie momentanée. Mais pour en savoir plus long, il va falloir que nous attendions son réveil.

— Qu'est-ce qu'on va faire du corps de Nicole? s'enquit Michel.

— L'autopsie va être pratiquée ce soir. Ensuite, le corps pourra vous être remis. Vous pourrez la faire transporter au Canada, dans un jour ou deux.

Cécile Valois n'en revenait pas.

— Elle était si gentille et si heureuse. Elle avait hâte de retourner au Canada...

Juste à ce moment, le Manchot bougea sur le lit. Il cherchait à ouvrir les yeux.

Soudain, il reconnut Michel. Il se souleva d'un seul coup et saisit le jeune homme aux poignets.

— Dis-moi que j'ai rêvé, Michel, dis-moi que ce n'est pas vrai... que c'est un cauchemar...

Michel baissa les yeux, sans répondre.

Le Manchot retomba sur le lit et referma les yeux. De temps à autre, on l'entendait murmurer, dans une sorte de délire : « Nicole... Je ne veux pas... ça ne se peut pas... »

— Comme il fait pitié, murmura Fraser.

— Vous savez, fit Michel, cet homme avait peur de l'amour. À cause de son infirmité, il avait jamais voulu s'attacher à une femme. Mais Nicole, c'était différent, c'était le grand amour.

— Je crois qu'il s'est endormi, murmura Fraser en se penchant sur le Manchot qui, effectivement, ne bougeait plus et respirait plus calmement. Mais il rouvrit les yeux.

— Vous m'entendez, patron ? dit Michel à mi-voix. Pourquoi avoir frappé madame

Valois ? Pourquoi êtes-vous accouru à Miami ? Qu'est-ce que vous savez et que j'ignore ?

Le Manchot voulut se soulever encore une fois. Il regarda madame Valois.

— Elle... elle...

Il ne pouvait plus parler. Il s'endormait, vaincu par l'effet du sédatif puissant qu'on lui avait injecté.

— Gerry... Gérald... balbutia-t-il, ton rapport... l'enregistrement... Gérald... Gerry... Gérard.

Et il retomba sur le lit. Il dormait.

Chapitre X

VENGEANCE

Michel avait beau réfléchir, il n'arrivait pas à comprendre ce qu'avait voulu lui dire son patron.

— Moi, j'en ai assez. Je veux retourner à Montréal au plus tôt, lieutenant, fit Cécile Valois. Êtes-vous obligé de me garder ici ?

— Non. Mais vous ne pourrez avoir d'avion avant demain matin.

— Eh bien, je veux qu'on me réserve une place immédiatement.

— Je vous conseille d'attendre la déposition

de mon boss avant de prendre une décision, lieutenant, intervint Michel.

Ce ne fut qu'une heure plus tard que le Manchot sortit de sa torpeur. L'injection l'avait calmé. Il parlait d'une voix basse, très grave, à peine perceptible. Il remercia Fraser, puis il désigna Cécile Valois.

— Tu vas faire mettre cette femme dans une cellule. C'est un monstre, c'est une folle, c'est une criminelle.

— Mais il a pas toute sa tête ! s'écria Cécile.

— J'aurais dû vous tuer, tantôt, c'est ce que vous méritiez, soupira le Manchot en secouant la tête.

Puis, se tournant vers Michel :

— Tu te souviens de l'enregistrement des appels ? Le dernier enregistrement. Une voix de femme, à peine perceptible. Elle dit de ne plus l'appeler. L'homme s'était nommé... Gerry.

— Oui, je me souviens.

— Tous les deux, nous avons cru que c'était un des amis de Chantal, un jeune de la bande. Jamais on n'aurait pensé que cette voix était celle de madame Valois. Pourtant, j'aurais dû le deviner. Pour les autres appels, Chantal ne changeait pas sa voix, ne baissait pas le ton. Pourquoi l'aurait-elle fait cette fois-là ?

— Moi aussi, j'aurais dû y penser ! s'exclama Michel en se tapant la cuisse.

— Quand Bernier m'a demandé une copie de

144

l'enregistrement, je l'écoutais d'une oreille distraite. Soudain, le nom de Gerry m'a frappé. Tu avais mentionné ce nom. Je t'ai demandé de me répéter ton rapport, tu te souviens ?

— Oui un type avait dit que les bombes, c'était la spécialité de Gerry, mais que ça faisait longtemps qu'on l'avait pas vu.

— C'est ça. Puis, quand vous m'avez appelé, Lieutenant Fraser, vous m'avez dit que Nicole enquêtait sur un nommé Gérald Morton, un homme que madame Valois a dit avoir connu à Miami. Alors, j'ai compris. Gérald, Gérard... Gerry, ça se ressemble beaucoup, n'est-ce pas ? La voix, au téléphone, la voix de femme, c'était celle de madame Valois. Elle avait parlé à Gerry mais ne voulait pas que la conversation soit enregistrée. Puis, moi, je l'ai envoyée à Miami avec Nicole. Gerry les a suivies, sous le nom d'emprunt de Gérald Morton. Il a fait mine de faire leur connaissance à Miami. Tout était bien préparé. Pendant que madame était à l'étranger, son mari se faisait tuer par une bombe placée dans sa voiture par un supposé maniaque — mais un maniaque engagé par le fameux Gerry.

Mais il y avait une chose que le Manchot ne pouvait s'expliquer. Comment avait-elle pu deviner la vérité ?

— Il ment, je vous dis qu'il est fou. Ce Gérald est un assassin, c'est vrai, il a voulu me

145

tuer. Nicole a dit que c'était lui qui m'avait saisie aux jambes.

— Oh, je comprends, maintenant. Pour faire croire à Nicole qu'un maniaque vous poursuit, Gérald fait mine de vous attaquer.

— Il m'a sauvée.

— Oui, c'est ce que vous avez voulu faire croire. Nicole a tout deviné. Mais oui, c'est ça. Vous-même, tantôt, vous avez dit, madame Valois, que vous étiez assise à l'extérieur quand Nicole a parlé au lieutenant Fraser.

— C'est la vérité, approuva-t-elle.

— Mais oui, vous êtes sortie pour prévenir Gérald Morton, votre amant Gerry, que Nicole savait tout. Ensuite, on devine le reste. Il lui téléphone, se fait passer pour un de vos hommes, inspecteur, lui donne un rendez-vous. Nicole s'y rend et...

Le Manchot était incapable de continuer, sa voix s'étranglait dans sa gorge.

Michel s'approcha de madame Valois.

— Mais pourquoi? Pourquoi toute cette mise en scène? Pourquoi ces supposés appels anonymes? Pourquoi laisser croire qu'on vous en voulait, à vous?

Elle ne répondit pas. Ce fut le Manchot qui reprit la parole.

— Elle avait pris goût à l'argent. Seule, le soir, elle s'ennuyait. Alors elle est tombée amoureuse de ce Gerry, un tueur, un type de la pègre. Le mari a une forte assurance. Alors, on dresse un plan, on forge des appels, Gerry téléphone à la manufacture pour rendre la chose plausible. On engage un détective privé. On lance une pierre dans la chambre de madame Valois et moi, idiot, je tombe dans le piège. Je propose des vacances à madame Valois. Elle part avec Nicole. On profitera de son absence pour faire mourir le mari. Tant pis si c'est sa fille qu'on accuse, Cécile déteste son enfant. Elle devait même espérer que la faute retombe sur ses épaules. Son mari mourra alors qu'elle sera avec Nicole à Miami. Et par mesure de précaution, ce Gerry confie le travail de placer la bombe à un complice. Lui aussi aura un alibi parfait si les choses se compliquent.

Madame Valois se mit à rire comme une folle.

— Un véritable roman ! Vous pouvez rien prouver, absolument rien. Il a menti sur toute la ligne. La mort de sa maîtresse l'a complètement détraqué.

Fraser s'approcha du Manchot et murmura :

— Je crois ton histoire, mais elle a raison : tu n'as pas de preuves.

— J'ai sa voix sur la bande... Et si nous retrouvons ce Gerry, je me charge de le faire parler, ajouta-t-il d'un air sinistre.

Fraser consentit à arrêter madame Valois et la faire conduire au Canada par des policiers.

— Quant à nous, Michel on va rentrer immédiatement. On a notre appareil. On n'a qu'à prévenir le pilote.

Le lieutenant se chargeait de faire expédier le corps de Nicole à Montréal, une fois qu'on en aurait terminé à Miami. Trente minutes plus tard, une voiture de la police conduisait madame Valois en cellule. Fraser ne pouvait l'accuser de complicité dans le meurtre de Nicole mais, à Montréal, on pouvait la tenir responsable d'avoir causé la mort de Goulet en voulant assassiner son mari.

Michel avait rejoint le pilote de l'avion et, une heure plus tard, le lieutenant Fraser lui-même allait les conduire au petit aéroport.

— Robert, je regrette ce qui s'est passé, fit-il tandis que la voiture roulait dans les rues de Miami.

— Ils vont payer, tu peux être certain de ça. Ils vont savoir de quel bois se chauffe le Manchot.

*
*   *

Tout le long du voyage entre Miami et Montréal, le Manchot desserra à peine les lèvres. Quand ils furent dans la métropole, il ordonna à Michel :

— Rejoins-moi à mon appartement.

— Mais vous savez l'heure qu'il est, patron ? Il passe une heure du matin.

— Justement, c'est le temps d'agir.

Lorsque Michel arriva à l'appartement du Manchot, il vit avec surprise que son patron avait enlevé sa prothèse.

— Qu'est-ce que vous faites ?

Sur la table, il y avait une mitraillette et le pistolet du Manchot.

— Ce ne sera pas long, le temps de poser mon crochet.

— Quoi ?

Sans répondre, Robert Dumont s'affaira à adapter à son moignon une sorte de robuste manchon de cuir muni d'un gros crochet de fer acéré.

— Quand je frappe dans le tas avec ça, ça fait des dégâts !

— Mais boss...

— Tu vas me conduire à ce club privé où tu as rencontré ton monsieur Lionel. C'est là, c'est dans cet endroit qu'on t'a parlé de Gerry ?

— Oui, mais...

Le Manchot glissa son Colt-45 dans sa ceinture, puis saisit sa mitraillette de la main droite.

— S'il y en a un, un seul qui cherche à me résister, il va le payer cher ! Ils vont tous payer, les chiens sales, les écœurants !

Michel ne savait plus que faire. Jamais il n'avait vu Robert Dumont dans un tel état.

— On m'a toujours appelé le bon diable. Oui, j'ai toujours eu pitié des autres, même des criminels. Mais c'est fini... fini. Maintenant, le Manchot va agir autrement. Conduis-moi au club, Michel.

Comme le jeune assistant hésitait, Dumont cria :

— Si tu chies dans tes culottes, si tu as peur, donne-moi l'adresse, j'irai tout seul !

— Torrieu ! Je vais vous montrer si je suis un « chieux », moi !

Ce fut Michel qui prit le volant. Bientôt, la voiture s'arrêta devant la maison de rapport où se trouvait le fameux club.

— Laissez-moi passer le premier, boss. Vous, on vous laissera pas entrer.

Le Manchot montra sa mitraillette, cachée sous son veston.

— J'aimerais bien voir ça, fit-il en ricanant.

— Je vous en prie, soyez calme. Vous pouvez tout gâcher.

Bientôt, Michel frappa à la porte. Un homme demanda à travers le battant :

— Qui est là ?

— Michel... Mike Beaulac.

— T'es seul ?

— Non, avec un ami.

— Qu'il attende à l'extérieur, grommela-t-il en déverrouillant.

Le Manchot fonça dans la porte quand elle s'ouvrit, bousculant l'homme jusqu'au milieu de la pièce où étaient réunies plusieurs personnes.

Des hommes s'étaient levés en entendant le vacarme.

— Assis, tout le monde !

Une brève rafale de mitraillette troua le mur, juste au-dessus des têtes.

— Le premier qui bouge, je lui flanque tout le chargeur dans le ventre. La porte, Michel. Maintenant, désarme tous ces types.

— Mais...

— Obéis ! Sinon, je serais capable de te faire subir le même sort que les autres.

Les hommes se laissèrent désarmer, sans protester. Ils croyaient tous avoir affaire à un type qui avait perdu la raison.

— Lequel d'entre vous est monsieur Lionel ?

Personne ne répondit.

— Il est pas là, murmura Michel.

Le Manchot lui tendit la mitraillette.

— Surveille-les.

Il s'approcha d'un des hommes et de la main droite, il le projeta au sol. Puis il appuya la pointe de son crochet sur la gorge de l'homme, qui roulait des yeux éperdus et n'osait même pas se débattre.

— Où est monsieur Lionel?

— Je... je sais pas.

— Parle, ou je t'arrache ta maudite gorge de cochon!

— Il... il doit venir, mais on sait jamais à quelle heure.

— Il a raison, fit Michel, il arrive sans prévenir.

Soudain, Michel eut une idée.

— Écoutez, les gars, vous me connaissez tous, vous savez que je suis un ami. Lui, c'est le détective privé pour qui je travaille, celui qu'on appelle le Manchot. Sa fiancée a été assassinée à Miami. Il recherche l'assassin.

— Ici? fit un des hommes, c'est ridicule.

— L'autre jour, poursuivit Michel, on m'a parlé d'un dénommé Gerry... un type qui aimait se servir de bombes.

Le Manchot se releva.

— Gerry, alias Gérald Morton, alias Gérard Rodain... et probablement de nombreux autres alias.

— L'autre jour, ajouta Michel, on a dit, ici, qu'on l'avait pas vu depuis quelques jours...

— C'est vrai, ça fait presque un mois qu'on a pas vu Gerry.

Le Manchot, menaçant, s'avança vers l'homme qui venait de parler.

— Où habite ce Gerry ? Tu le sais sûrement... gronda-t-il en approchant son fameux crochet de sa figure.

— Non, non, je sais rien. Gerry venait ici... mais je sais pas où il demeure, je vous jure que...

Subitement, la porte s'ouvrit à la volée. Un colosse entra suivi d'un homme portant un chapeau noir et serrant un cigare entre ses dents.

— Ah ça, mais qu'est-ce qui se passe, ici ? demanda le nouveau venu.

Le Manchot se retourna et d'un même mouvement fonça sur l'homme, repoussant le colosse avec son crochet.

— C'est vous, Lionel ?

Même devant l'attitude menaçante du Manchot, l'homme au cigare ne broncha pas.

— On m'appelle monsieur Lionel.

Il avança vers Michel et de la main, repoussa la mitraillette.

— Qu'est-ce que c'est que ces manières ?

Monsieur Lionel regarda autour de lui.

— Heureusement que ces pièces sont à l'épreuve du son. A-t-on idée de tirer de la mitraillette dans cet appartement ? C'est toi, Michel ?

— Non, c'est Robert... c'est le Manchot.

— Assez, cria Dumont. Je veux savoir où je

peux trouver Gerry. Il va payer, vous entendez, il va payer...

— Allons, monsieur Dumont, du calme. Si vous criez comme ça, nous ne pourrons jamais nous entendre. Tom, ferme la porte. Toi, Michel, range cette mitraillette. Vous autres, ramassez vos armes et continuez à vous amuser.

Et prenant le bras droit du Manchot, il l'entraîna vers une table.

— Vous acceptez un verre ?

— Un double.

— Bravo, je crois que nous pourrons nous entendre. Tenez, prenez un bon cigare.

Le Manchot écrasa entre ses doigts le cigare que monsieur Lionel lui tendait.

— Je n'ai pas du tout le goût de fumer, je veux retrouver Gerry...

Lentement, monsieur Lionel enleva son chapeau, puis ses gants. Sa voix se durcit.

— Écoutez-moi bien, Manchot. Il n'y a que moi qui puisse vous aider à retrouver ce Gerry. Mais je n'aime pas les types qui gueulent comme vous, je n'aime pas les types qui écrasent les cigares que je leur donne.

Michel s'avança :

— Il faut l'excuser. Il y a quelques heures à peine, on a assassiné la femme qu'il aimait. Elle a été tuée par Gerry.

Lionel se leva. Il venait manifestement de prendre une décision.

— Venez avec moi.

Au fond de la pièce, il y avait une bibliothèque. Lionel tira sur un livre et la bibliothèque pivota, découvrant une porte qui donnait sur une pièce luxueusement meublée. Quelques instants plus tard, le Manchot s'installait dans un large fauteuil de cuir.

— Laisse-nous, Mike, ordonna le grand patron, je veux causer avec le Manchot. Au fait, je te remercie du renseignement concernant Peckroy.

— C'est monsieur Dumont qui me l'a refilé, fit Michel en sortant.

De nouveau, Lionel offrit un cigare au Manchot.

— Fumez. Ça calme les nerfs. Puis racontez-moi tout, de A jusqu'à Z. Ensuite, je verrai si je puis vous aider.

Robert Dumont céda enfin. Après avoir allumé le cigare, il entreprit de raconter tout ce qu'il savait : les appels anonymes, les fausses tentatives d'assassinat contre Valois, la pierre lancée dans la chambre de Cécile Valois, son départ pour Miami en compagnie de Nicole, puis la mort de l'agent de sécurité Goulet.

— Maintenant, voici ce qui s'est passé à Miami, fit-il en fronçant les sourcils.

Le Manchot lui résuma les événements des dernières heures.

— Madame Valois est une malade, c'est certain. Ce Gerry a décidé de se servir d'elle pour s'emparer de son argent et, surtout, de l'argent qu'elle aurait touché à la mort du mari.

Lionel murmura :

— Oui, l'explosion, c'est bien le genre de Gerry.

Quelques instants plus tard, l'homme téléphonait à Miami, où il avait des relations.

— Je veux savoir si Gérard Rodain et ce Gérald Morton étaient le même homme. Vous connaissez Rodain ? Rendez-vous au motel, questionnez les employés, les clients. Il me faut les renseignements, cette nuit.

Et il raccrocha, puis se tournant vers Dumont :

— Vous croyez que Gerry est revenu à Montréal ?

— C'est fort possible.

— Je le saurai, monsieur le Manchot. Je déteste les assassins, tout comme vous. Mais vous alliez commettre une bêtise. Si Gerry avait été ici, vous l'auriez tué et vous vous seriez retrouvé derrière les barreaux. Êtes-vous prêt à me faire confiance ?

— Oui, répondit Dumont après un moment d'hésitation.

— Ça peut prendre quelques jours, mais

nous retrouverons Gerry. Vous savez, nous avons nos petits services de renseignements... et nous avons le bras souvent plus long que celui de la Loi.

Trente minutes plus tard, le téléphone sonnait. C'était Miami. On apprit à monsieur Lionel que Gérald Morton et Gérard Rodain étaient un seul et même homme.

— Bon, merci, c'est tout ce que je voulais savoir.

Lionel se leva et tendit la main au Manchot.

— Heureux de vous être agréable, monsieur le Manchot. Comptez sur moi... mais les bons comptes font les bons amis, n'est-ce pas?

— Que voulez-vous dire?

— Je ferai réparer le mur que vous avez troué avec votre mitraillette et je vous enverrai le compte.

*

* *

Madame Poulin, la mère de Nicole, était venue à Montréal pour les obsèques.

— Je savais qu'un jour ou l'autre ça tournerait mal, disait-elle en pleurant. Quand je vous ai demandé de la rechercher, il y a près de deux ans, vous auriez dû me la ramener.

Le Manchot ne répondit pas et détourna les yeux. Le lieutenant Fraser était venu spécialement de Miami. C'était lui-même qui avait ramené Cécile Valois à Montréal.

157

— Vous n'aurez pas à la juger, dit-il, elle est folle. Elle a fait une véritable crise, quelques heures après son arrestation. On a dû l'enfermer dans une cellule capitonnée. Dans ses moments de lucidité, elle a tout avoué. Peu à peu, on a tout su. Elle voulait devenir riche. C'est par jeu, pour se rendre intéressante, qu'elle a commencé à inventer ces faux appels puis, petit à petit, le plan du meurtre a germé dans sa tête et votre fameux Gerry ne demandait pas mieux que de l'aider. Il la savait folle. Il l'aurait sans doute épousée pour la faire enfermer par la suite... Au fait, la police l'a-t-elle retrouvé?

— J'ai des amis qui me trouveront Gerry, ne vous inquiétez pas.

— Si tu as besoin de mon témoignage, Robert, je viendrai.

Lors des funérailles, derrière les parents de Nicole, on pouvait voir Robert Dumont, le Manchot. Son assistant, Michel Beaulac, ne le quittait pas. L'air préoccupé, il le suivait pas à pas.

Parmi la foule, il y avait quelques policiers, des amis personnels de Robert Dumont, des policiers à leur retraite qui travaillaient de temps à autre pour l'agence du Manchot, plusieurs artistes et des membres des équipes techniques du cinéma, tous amis de Nicole.

Personne n'osait parler à Robert Dumont

mais on devinait à quel point cet homme souffrait. Ses traits paraissaient deux fois plus durs que d'habitude. Michel savait fort bien que son patron ne serait jamais plus le même homme.

À la sortie de l'église, Michel poussa le Manchot du coude.

— Vous avez vu? dit-il à voix basse.

— Quoi donc?

— Les deux voitures, là-bas... Elles s'en vont... Dans la première, il y a monsieur Lionel.

— Ah!

— Et dans la deuxième... l'inspecteur Bernier. Deux hommes qui, pour des raisons tout à fait différentes, évitent de se faire voir. Monsieur Lionel, par souci de précautions, désire conserver l'incognito... et l'inspecteur Bernier, par orgueil, tout simplement, pour cacher sa sensibilité.

*

* *

Depuis la mort de Nicole, le Manchot semblait avoir perdu tout goût au travail. Il se rendait pourtant à son bureau tous les jours, mais il ne travaillait guère et, surtout, il était constamment d'une humeur massacrante.

— Je vous dérange, patron? demanda Michel en entrant dans son bureau.

— Oui. Qu'est-ce que tu veux? s'enquit Dumont d'un ton roque, sans lever les yeux du dossier qu'il consultait.

— Hier soir, j'ai reçu un message pour vous. Monsieur Lionel veut vous voir, sans faute, ce soir. Vous connaissez l'endroit?

Le Manchot répondit durement.

— Tu diras à ton monsieur Lionel que s'il veut me voir, il n'a qu'à venir ici.

— Vous savez bien qu'il se dérangera pas. Moi, ça me fait rien, mais je crois qu'il s'agit du fameux Gerry.

— Bon, je verrai. Je ne sais pas si j'irai.

Mais Michel était persuadé que son patron serait présent au rendez-vous.

Et en effet, ce soir-là, vers dix heures, Robert Dumont pénétrait dans le bureau de ce magnat de la pègre. Monsieur Lionel se leva et lui tendit la main.

— Je vous offre mes sympathies, Manchot!

— Merci.

— J'aurais dû le faire plus tôt. C'est aux funérailles que j'ai compris à quel point vous souffriez.

— N'en parlons plus, répliqua Dumont d'un ton bourru.

Il s'assit lourdement dans le fauteuil que lui offrait Lionel.

— Le passé est le passé, ajouta Dumont.

Mais en l'espace d'une journée, je crois avoir vieilli de dix ans.

— Bah, un jour, vous oublierez.

— Jamais ! Jamais, vous entendez. Et les femmes, c'est fini pour moi. Il n'y aura plus de femme dans ma vie.

Lionel se mit à rire.

— Moi aussi, j'ai souvent dit ça et pourtant... j'ai tout un harem qui rôde autour de moi... Mais si on changeait de conversation, lança brusquement l'homme au cigare. Si on parlait du fameux Gerry.

— Ne me dites pas que vous l'avez enfin retrouvé ?

— Oui.

Il y eut un court silence et Lionel ajouta :

— Nous l'avons retrouvé, mais trop tard.

Le Manchot sursauta et se pencha en avant.

— Comment ça ?

— Le corps de Gerry repose sur les dalles de la morgue.

— Quoi ?... Il est...

— Mort, oui. Nous allions le capturer pour vous, vous l'emmener pieds et poings liés... Malheureusement, il a été victime d'un accident.

Lionel évitait de regarder le Manchot dans les yeux. Tout en parlant, il jouait distraitement avec son cigare.

— Vous savez, il y a toujours des gens qui

sont trop imprudents. Gerry a voulu traverser une route de campagne. C'est comme rien, il devait penser à autre chose. Une voiture lui a rentré dedans et l'a tué sur le coup.

— Et le chauffeur ?

— Il s'est même pas arrêté. Il a pris la fuite. La police est présentement à sa recherche.

Le Manchot serra les dents. Il aurait tellement voulu rencontrer ce Gerry, face à face... Rien qu'une ou deux minutes seul avec lui !

— La police a cru cette histoire de chauffard ? demanda-t-il au bout d'un moment.

Lionel se mit à rire.

— Allons, Manchot, vous avez fait partie de la police durant assez d'années pour savoir à quel point on est soupçonneux dans ce milieu. Moi, je suis persuadé qu'il s'agit d'un simple chauffard, mais la police...

— Croit que Gerry a été liquidé.

— Exactement.

Les deux hommes, maintenant, se regardaient dans les yeux.

— Les policiers croient que Gerry a été poussé hors d'une voiture. Il était blessé. L'automobile aurait reculé une ou deux fois et lui aurait passé sur le corps pour l'achever. Gerry avait plusieurs fractures et les policiers sont persuadés qu'il a pas pu subir un tel choc au cours d'un seul accident. Ils ont peut-être raison : moi, j'en sais rien. Il se peut également que le chauffard ait pu être au volant d'un gros camion. Un dix-roues, ça peut causer plusieurs fractures, vous croyez pas?

Lionel ne donna pas la chance au Manchot de répondre. Il se leva et Dumont l'imita.

— De toute façon, l'affaire est terminée, le coupable est puni et c'est tant mieux pour vous... pour nous deux.

— Pourquoi dites-vous « pour nous deux »?

— Pour vous, cet accident propice vous empêchera sans doute de commettre un meurtre qui aurait mis fin à votre carrière. Quant à nous autres, du milieu, cet accident nous débarrasse d'un tueur, un type qui était devenu un indésirable.

Il plongea la main dans la boîte de cigares qui se trouvait sur son bureau et en prit cinq ou six.

— Tenez, vous fumerez ça à ma santé, fit-il en les fourrant dans les poches de Dumont.

Le Manchot allait sortir, lorsque monsieur Lionel le rappela.

— J'oubliais.

Il tendit une feuille au Manchot.

— C'est la facture pour la réparation du mur. Rien d'urgent. Je vous fais confiance.

Robert Dumont, pour la première fois depuis plusieurs jours, esquissa un sourire, et il glissa la facture dans sa poche.

— C'est pas tout, ajouta Lionel. Rappelez à Michel qu'il lui reste une dette à effacer. J'aurai peut-être d'autres renseignements à lui demander.

Et, serrant encore la main du Manchot, il ajouta en clignant de l'œil :

— Un petit service en attire un autre, n'est-ce pas ?

*
* *

Pour la troisième fois en moins d'un mois, Robert Dumont venait encore de changer de secrétaire.

Michel cherchait à rassurer la jeune fille qui débutait, ce matin-là.

— Restez calme, mademoiselle. Actuellement, le patron traverse une mauvaise passe. Il perd patience facilement, il engueule tout le monde pour rien.

— C'est gai !

— Surtout, allez pas lui répliquer. Laissez-le dire et faites votre travail de votre mieux.

— J'essaierai.

— Surtout, carabine, surveillez bien vos heures. Partez jamais avant cinq heures et prenez pas trois minutes de trop pour dîner. Vous seriez immédiatement flanquée à la porte.

— Vous me faites peur. Je me demande si je ne devrais pas partir immédiatement.

— Mais non. Moi, c'est pour vous prévenir. Soyez gentille, mais essayez pas de faire du charme. La secrétaire, avant vous, a essayé... C'est bien simple, le patron aurait pu la tuer.

Cette nouvelle secrétaire plaisait à Michel. Elle paraissait très sérieuse. Elle était vêtue sobrement et avait en plein le genre qui pouvait intéresser le Manchot.

Soudain, la voix de Robert Dumont tonna :

— Michel ! Viens ici.

Le jeune homme se précipita. Pendant ce temps, le Manchot ajoutait à l'intention de la secrétaire :

— Et vous, je ne vous paie pas pour causer avec mes employés, tenez-vous le pour dit. C'est moi, le patron et pas ce grand niaiseux-là !

— Merci pour le compliment, fit Michel en suivant le Manchot dans son bureau. Je vois que vous me connaissez bien.

— Ferme la porte. Quand j'ai à te parler, je ne veux pas que tout le monde entende.

La voix du Manchot semblait soudain moins dure. Michel hésita, puis :

— Allez surtout pas vous fâcher, patron, fit-il. Promettez-moi de rester calme.

— Qu'est-ce que tu veux ? De l'argent ?

— Pas du tout. Hier, je bavardais avec Landry. Ça fait trois fois que cet ancien policier travaille pour nous. Il est du même avis que moi : vous avez besoin de repos, vos nerfs sont à bout et...

— Mêlez-vous de ce qui vous regarde, coupa le Manchot. Je suis en pleine forme. Nous avons du travail plus que jamais. Je ne peux pas quitter le bureau.

— Allons donc, vous savez bien que je suis capable de m'occuper de...

— J'ai dit non, Michel ! C'est clair ?

« Carabine, songea le jeune homme, va falloir le faire entrer de force à l'hôpital. La situation est devenue intenable ici. »

Pendant que les deux hommes discutaient, la porte du grand bureau venait de s'ouvrir. La jeune secrétaire leva les yeux. La femme qui venait d'entrer ne pouvait passer inaperçue. Ses cheveux étaient blond platine. Elle était savamment maquillée et sa robe, décolletée à souhait, laissait entrevoir une poitrine généreuse.

Elle était grande, elle devait avoir près de six pieds. Sans être grosse, elle n'était pas maigre non plus. Une sorte de colosse féminin.

— Que puis-je pour vous, madame ?

En roulant des hanches, elle s'avança jusqu'au bureau de la secrétaire.

— C'est pas madame... c'est mademoiselle, O.K. ? dit-elle d'une voix sèche.

— Alors, mademoiselle ?

La fille examina froidement la jeune secrétaire, puis elle haussa les épaules.

— Hum ! Une enfant d'école. Qu'est-ce que tu penses, ma petite, de venir travailler dans une agence de détectives privés ?

— Pardon ? Écoutez, mademoiselle...

L'autre l'interrompit :

— Il est là ?

— Qui ?

— Pas le bon Dieu, épaisse ! Je parle du Manchot.

— Il est occupé présentement.

— J'suis pas pressée, j'vas l'attendre.

Elle s'assit sur une chaise, croisa ses jambes et sa robe remonta légèrement, découvrant une cuisse dodue mais quand même fort jolie.

La secrétaire ne pouvait détourner les yeux de cette fille étrange et plutôt vulgaire. «Justement le genre que monsieur Dumont doit détester», pensa-t-elle.

Soudain, la voix de la fille la tira de sa rêverie.

— Eh bien quoi ? Tu veux mon portrait ? T'as pas de travail à faire, toi, ici ?

La jeune secrétaire ne répondit pas et se remit au travail. Quelques instants plus tard, Michel sortait du bureau du Manchot.

— Il est un peu plus calme ce matin, dit-il à la secrétaire. Je pars. Si j'ai des appels, prenez-les en note, je téléphonerai cet après-midi.

Comme il allait sortir, Michel aperçut la

blonde, assise non loin de la porte. Il ne put s'empêcher de siffler.

— Énerve-toi pas, le mousse, fit la fille. Des types dans ton genre, il en pleut. C'est pas pour un ti-gars comme toi que je m'allongerais.

Michel haussa les épaules et sortit du bureau. La fille se leva.

— Il est tout seul, le patron?

— Oui. Qui dois-je annoncer?

— Mêle-toi pas de ça, ma fille. J'suis capable de m'annoncer toute seule.

Et, sans même frapper à la porte, elle entra dans le bureau de Robert Dumont.

Dans l'état d'esprit où il se trouve, le Manchot ne s'en laissera sûrement pas imposer par cette fille qui affiche un sans-gêne incroyable.

La jeune secrétaire était certaine que la porte du bureau de Dumont s'ouvrirait très rapidement et que la fille en sortirait cul par-dessus tête.

Mais à sa grande surprise, rien ne se produisit. Elle eut beau écouter, elle n'entendit pas crier le Manchot. Au contraire, c'était la voix de la fille qui résonnait dans le bureau.

Qui est donc cette fille? Le Manchot la connaît-il? Que vient-elle faire à l'agence?

168

Et Robert Dumont conservera-t-il longtemps cette attitude de dur, d'homme sans pitié? Finira-t-il par oublier Nicole Poulin?

Suivez le Manchot dans sa prochaine aventure, intitulée : *Le Cadavre regardait la télé.*

« Allô... ici La Mort »

LE MANCHOT — 02

LA CHASSE À L'HÉRITIÈRE

Plusieurs héritiers sont déçus. Philippe Rancourt laisse son entière fortune à sa fille. Mais voilà que cette dernière a été abandonnée par son père alors qu'elle était bébé et Rancourt est toujours demeuré sans nouvelles d'elle.

L'enfant a sans doute été adoptée, mais on ignore par qui.

Le Manchot doit retrouver l'héritière de cette fortune. La tâche s'annonce extrêmement ardue car plusieurs personnes ont tout intérêt à ce que cette fille ne soit jamais identifiée.

Le Manchot et Michel, son adjoint, verront de nombreuses embûches se dresser sur leur route, d'autant plus que plusieurs jeunes filles tenteront de se faire passer pour l'enfant de Rancourt, dans le but d'hériter de sa fortune.

Une chasse à l'héritière, palpitante du début à la fin.

Dans la même collection

LE MANCHOT — 03

MADEMOISELLE PUR-SANG

Nicole, la nouvelle secrétaire du Manchot, a été choisie pour tourner dans un film canadien : « Mademoiselle Pur-sang ».

Robert Dumont et Michel Beaulac sont invités à assister à une journée de tournage.

Au beau milieu d'une scène, une comédienne meurt, assassinée.

Le Manchot est immédiatement engagé par le producteur pour faire enquête. Selon lui, ce sera une enquête de routine puisque l'assassin se trouve sur le plateau et qu'il n'a pu se débarrasser de son arme.

Mais la situation se complique drôlement et d'autres meurtres sont commis dans cette atmosphère très spéciale au milieu du cinéma.

Suivez le Manchot dans cette nouvelle aventure remplie de péripéties.

LE MANCHOT — 05

LE CADAVRE REGARDAIT LA TÉLÉ

Marianne Tanguay a tout pour être heureuse. Elle a épousé l'homme qu'elle aimait, elle a hérité une importante fortune de son père et son mari s'occupe à diriger habilement ses entreprises.

Mais, quelques années plus tôt, Marianne a eu une aventure avec Victor Gauvin, comptable de la compagnie dirigée par son père. Mais, un jour, la vérité éclata : Gauvin était un voleur, il n'avait jamais aimé Marianne, il ne recherchait que la fortune. Marianne refusa de faire arrêter Gauvin, ce dernier disparut de sa vie, Marianne l'oublia et quelques mois plus tard elle épousait Bernard Tanguay.

Et voilà que, brusquement, Gauvin réapparaît dans la vie de Marianne. Non seulement il veut la faire chanter, mais Lorraine, jeune sœur de Marianne, est tombée amoureuse de ce scélérat.

Euclide Raymond, vieil employé de la compagnie, que Marianne considère comme son père, décide de demander l'aide du Manchot. Pour Robert Dumont, cela semble être une simple affaire de chantage.

Mais l'enquête est à peine commencée que Robert Dumont se trouve en face d'un cadavre... un cadavre qui aime la télé...

Le Manchot et ses acolytes sont entraînés dans une aventure où le mystérieux assassin ne sera démasqué qu'à la toute fin du roman.

LE MANCHOT — 06

TUEUR À RÉPÉTITION

Un maniaque a décidé de faire la guerre aux prostituées. Plusieurs meurent étranglées. La police semble incapable de mettre la main au collet de ce désaxé.

Quelques indices permettent à l'inspecteur Bernier de soupçonner le Manchot. Pour se venger, ce policier s'acharnera contre son ancien subordonné.

Candy, la nouvelle collaboratrice du Manchot, fréquentera le milieu des filles de joie, se fera passer pour l'une d'elles et tentera d'attirer le tueur dans un piège.

Mais les situations se compliquent continuellement, les cadavres s'accumulent, Candy risque sa vie inutilement et le Manchot se retrouvera derrière les barreaux, avec un

Bernier qui tentera de le faire passer pour un maniaque sexuel.

Une aventure remplie de rebondissements, où l'action vous tiendra sur le qui-vive.

Suivez le Manchot dans ce nouveau roman où le climat est continuellement à la pluie... une pluie de cadavres.

LE MANCHOT — 07

L'ASSASSIN NE PREND PAS DE VACANCES

Ce sont des vacances plutôt bizarres aux-quelles Roger Garnier convie ses invités.

En effet, durant trois jours, plusieurs de ses employés se rendront au chalet d'été du riche industriel.

Garnier n'a qu'un but. Amadouer ses employés et, surtout, empêcher le syndicat de s'établir dans son usine.

Garnier ignore cependant que la mort sera au rendez-vous et que l'assassin, lui, ne prend pas de vacances.

Un meurtre sera commis sous les yeux mêmes de Michel Beaulac, et le Manchot devra se porter au secours de son assistant afin d'éclaircir ce drame rempli de péripéties et de suspense.

DR ELISABETH KÜBLER – ROSS

LA MORT

dernière étape de la croissance

QUÉBEC/AMÉRIQUE

LA MORT
Dr Elisabeth Kubber Ross
L'auteur, psychiatre, fait autorité
dans le monde entier sur le sujet
de la mort. Un livre puissant par
les différents points de vue de
religieux, de médecins, d'infir-
mières... émouvant par les témoi-
gnages de mourants et de leurs
survivants...

224 p. $9.95

ANTHONY ET MARY ZAFFUTO
auto-guérison
l'art de se guérir soi-même par la méthode alphagénique
Sachez … mentale et physique.
… la douleur, le stress,
les maux de tête, … l'angoisse, l'insomnie,
… les allergies,
… le tabagisme…
QUÉBEC/AMÉRIQUE

AUTO-GUÉRISON

**Dr Anthony A. Zaffuto et
Mary Q. Zaffuto**

« Alphagénique » met à votre portée la plus récente et la plus prometteuse des thérapeutiques personnelles. En réglant votre comportement par le contrôle des ondes alpha qu'émet votre cerveau, vous apprendrez à vaincre la tension, l'anxiété, l'insomnie, l'obésité, l'alcoolisme, le tabagisme, vos problèmes sexuels et quantité d'autres difficultés personnelles.

164 p. $7.95

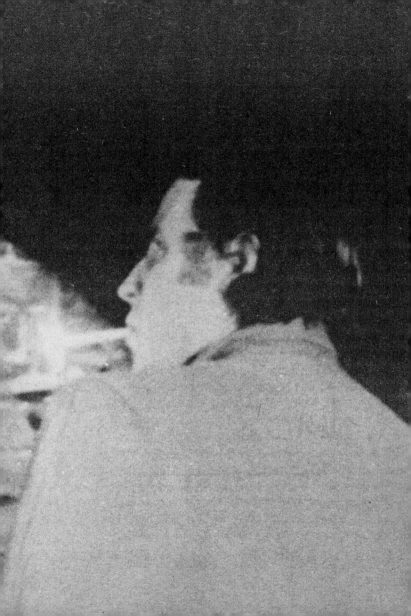

COMPOSÉ AUX ATELIERS GRAPHITI INC.
À SAINT-GEORGES-DE-BEAUCE
ACHEVÉ D'IMPRIMER SUR LES PRESSES DE
L'ÉCLAIREUR LTÉE À BEAUCEVILLE

5225